Déc 2018

Cher Maxime,

Voici un petit cadeau
pour les moments où tu
t'ennuies ou lorsque tu
ne voudras pas jouer à
un jeu vidéo.

Joyeux Noël!

Éric
&
Claudia
-xx-

23 CHOSES À FAIRE avant d'avoir 11 ANS 1/2

Projets amusants
pour les bricoleurs
en herbe

petit homme
Une société de Québecor Média

Traduction et adaptation française :
Delphine Billaut / Éditions Rustica, Paris
Mise en pages intérieur : Patrick Leleux PAO,
www.patrick-leleux.fr
Photogravure : Cypress Colours Ltd

L'ouvrage original a été publié
par Marshall Editions, groupe Quarto sous le titre
23 Things To Do Before You're 11 ½

© 2014, Marshall Editions
The Old Brewery, 6 Blundell Street,
London, N7 9BH
Royaume-Uni

02-15

Pour le Québec :
© 2015, Les Éditions Petit Homme,
division du Groupe Sogides inc.,
filiale de Québecor Média inc.
(Montréal, Québec)

Dépôt légal : 2015
Bibliothèque et Archives nationales du Québec

ISBN 978-2-924025-83-3

Imprimé en Chine par 1010 Printing International
Ltd.

DISTRIBUTEUR EXCLUSIF :
Pour le Canada et les États-Unis :
MESSAGERIES ADP inc.*
2315, rue de la Province
Longueuil, Québec J4G 1G4
Téléphone : 450-640-1237
Télécopieur : 450-674-6237
Internet : www.messageries-adp.com
*   filiale du Groupe Sogides inc.,
                     filiale de Québecor Média inc.

Gouvernement du Québec – Programme de crédit
d'impôt pour l'édition de livres – Gestion SODEC
– www.sodec.gouv.qc.ca

L'Éditeur bénéficie du soutien de la Société de
développement des entreprises culturelles du
Québec pour son programme d'édition.

Conseil des Arts   Canada Council
du Canada   for the Arts

Nous remercions le Conseil des Arts du Canada de
l'aide accordée à notre programme de publication.

Nous reconnaissons l'aide financière du
gouvernement du Canada par l'entremise du Fonds
du livre du Canada pour nos activités d'édition.

NOTE À L'ATTENTION DES PARENTS

Les projets contenus dans cet ouvrage présentent des niveaux
de difficulté variables. Un grand nombre d'entre eux nécessite
l'emploi d'outils. Ils sont conçus pour être réalisés avec l'aide
d'un adulte, et non par un enfant seul. Lorsqu'ils requièrent
du matériel potentiellement dangereux, les enfants doivent
rester sous la surveillance d'un adulte. L'auteur et l'éditeur
déclinent toute responsabilité quant aux éventuelles blessures
pouvant survenir lors de l'élaboration de ces projets.

Sommaire

Projets

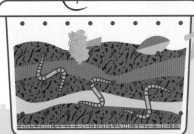

Comment utiliser ce livre

Tu penses que se servir d'outils pour fabriquer des choses, c'est réservé aux grands? Pas forcément! Mais, attention, sois prudent!

Avec des outils adaptés et les connaissances nécessaires, tu vas apprendre à maîtriser les gestes. Tu pourras ainsi mener à bien ces réalisations, voire commencer à en imaginer toi-même!

Tu dois toujours être accompagné d'un adulte, qui t'aidera lors des passages délicats et veillera à ce que tu utilises les outils en toute sécurité. Montre-lui d'abord le projet dans lequel tu souhaites te lancer, pour qu'il puisse te prêter main-forte. De toute façon, c'est beaucoup plus amusant de travailler à plusieurs, non?

Les projets de ce livre sont répartis en quatre catégories indiquées par des couleurs:

SCIENTIFIQUE

Les principes scientifiques de chaque projet sont expliqués pour que tu comprennes pourquoi et comment ça fonctionne.

BRICOLEUR

Pour réaliser ces projets, il te faut des outils et quelques compétences, comme scier ou faire des trous. Tu auras sûrement besoin de l'aide d'un adulte.

AVENTURIER

Il s'agit de projets à réaliser à l'extérieur, l'idéal lorsque tu vas faire du camping ou que tu pars explorer le monde qui t'entoure.

ÉCOLO

Ces projets, conçus avec des matériaux de récupération, vont t'aider à prendre soin de la nature et des animaux.

N'OUBLIE PAS : LA SÉCURITÉ AVANT TOUT !

- Demande TOUJOURS la permission avant de commencer un projet.
- N'utilise JAMAIS des outils ou des lames sans la surveillance d'un adulte.
- Suis TOUJOURS les consignes de sécurité.
- Ne t'amuse JAMAIS avec les outils et les lames.

PAS À PAS

Chacun des projets de ce livre se présente sous forme d'instructions étape par étape. Lis l'ensemble des instructions avant de commencer, puis relis bien attentivement chacune des explications.

C'est tout simple...

La clé de la réussite réside dans une bonne préparation! Cela veut dire qu'il te faut réunir tous les outils et les fournitures dont tu vas avoir besoin avant de te lancer. Au début de chaque projet tu verras un encadré, comme celui ci-contre, qui détaille le matériel requis.

Fais attention!

N'oublie pas de dire à un adulte ce que tu prévois de faire. Il doit y avoir quelqu'un à proximité pour t'aider. Quand tu vois cette bulle, cela signifie que l'étape est particulièrement délicate ou qu'elle peut être dangereuse. Laisse un adulte prendre le relais!

Il te faut

- fiches cartonnées A4
- feuilles de papier A4
- pochettes en plastique transparent ou sachets refermables
- crayon
- règle
- ciseaux

* * * * * *

* Tu trouveras de petites astuces au fil du livre. N'oublie pas de les lire!

* * * * * *

Ces encadrés te donnent des informations supplémentaires en rapport avec le projet: comment les avions font pour voler, comment allumer un feu, que mangent les vers de terre...

LIS BIEN CES ENCADRÉS...

... Tu pourrais bien y dénicher des infos intéressantes qui épateront tes amis!

Tu es presque prêt à commencer...

Utiliser des outils en toute sécurité

Pour réaliser des projets, tout bricoleur doit avoir plusieurs outils à sa disposition, mais, surtout, il doit apprendre à les utiliser sans risque.

CAISSE À OUTILS

Lunettes de protection

Il est très important d'en avoir une paire dans ta caisse à outils. Mets-les toujours avant d'utiliser une perceuse ou un marteau, pour protéger tes yeux en cas de projection de clou ou d'éclat de bois.

Perceuse

Les outils électriques comme la perceuse sont pratiques, mais peuvent être dangereux si on ne s'en sert pas correctement.

Fais attention !

PERCEUSE

N'utilise **jamais** une perceuse sans la présence d'un adulte. Commence par mettre tes lunettes de protection. Vérifie qu'aucun vêtement ample, comme des manches longues, ne gêne. Si tu as les cheveux longs, attache-les.

Demande à un adulte d'insérer une mèche du bon diamètre et de régler la perceuse correctement. Vérifie que tout est bien serré. Entraînez-vous ensemble à faire des trous dans une chute de bois. Ainsi, tu sauras faire des trous bien nets aux bons endroits lorsque tu réaliseras tes projets.

Mèches

La mèche est la pièce métallique qui s'insère à l'extrémité de la perceuse. La perceuse fait tourner la mèche à grande vitesse, de façon à faire un trou dans le bois. Il en existe de plusieurs diamètres, pour pratiquer des trous de différentes tailles.

Scie à bois

Pour couper un morceau de bois, il faut faire avancer et reculer la scie le long du trait sur lequel tu souhaites couper, en appuyant légèrement. Il est préférable de s'exercer sur une chute de bois avant de commencer un projet. N'oublie pas de mettre tes lunettes de protection et fais attention à tes doigts!

SCIE À BOIS

Scie à métaux

Il s'agit d'une scie à dents fines que l'on peut utiliser pour couper du bois, mais aussi de petites pièces métalliques ou en plastique.

SCIE À MÉTAUX

Scie cloche

Cet embout pour perceuse se fixe comme une mèche mais sert à percer de plus gros trous dans le bois.

Marteau

Le marteau sert à enfoncer des clous. Commence par quelques coups très légers pour positionner le clou dans le bois, en faisant attention à ne pas taper sur tes doigts. Puis, retire tes doigts et tape un peu plus fort pour enfoncer complètement le clou.

Serre-joint

Cet outil sert à maintenir un objet en place, pour qu'il reste stable lorsque l'on travaille dessus. Tu peux fixer un morceau de bois sur l'établi par exemple, de façon qu'il ne bouge pas pendant que tu le scies.

Étau

L'étau est généralement fixé sur le dessus de l'établi. Doté de deux mâchoires, l'une fixe, l'autre mobile, il est très utile pour maintenir les objets en place.

Pistolet à colle

Il fait fondre un bâton de colle, puis la colle très chaude sort par l'embout.

En refroidissant, la colle durcit. Elle permet de coller le bois, le plastique et le carton. Manipule le pistolet à colle avec précaution. Ne touche pas à la colle chaude, pour ne pas te brûler. **Un adulte doit être présent pour veiller à ce que tu l'utilises en toute sécurité.**

Fer à souder

Cet outil électrique fait fondre une sorte de métal mou qui sert à assembler des pièces métalliques. Le fer et le métal deviennent extrêmement chauds et **doivent être utilisés sous la surveillance d'un adulte.** Si tu n'as pas de fer à souder, tu peux peut-être en emprunter un.

Cale à poncer

La cale à poncer munie de papier abrasif sert à lisser manuellement les bords irréguliers d'une pièce de bois. Porte un masque pour ne pas respirer la poussière.

Poinçon

Il sert à pratiquer un petit trou dans un morceau de bois, pour pouvoir enfoncer plus facilement une mèche ou pour visser au bon endroit sans abîmer le bois. (Tu peux aussi utiliser un clou.)

Tournevis

Cet outil simple est un élément incontournable de toute caisse à outils. Le tournevis cruciforme permet de visser les vis qui présentent une forme d'étoile sur le dessus, tandis que le tournevis à bout plat sert pour les vis qui ont une tête fendue.

Cutter

Le cutter étant très coupant, fais très attention quand tu t'en sers et ne touche jamais la lame. Celle-ci se rétracte dans le manche quand on ne s'en sert pas pour éviter de se couper. **N'utilise pas de cutter sans la permission d'un adulte.**

Pince

La pince sert à attraper de petits objets ou à plier du fil de fer. Gardes-en une dans ta caisse à outils, elle te sera très utile.

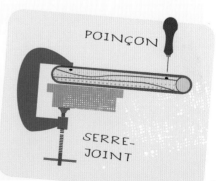

Caisse à outils

Il te faut

- 5 planches de contreplaqué 6 mm, pour pièces A, B, C, F et G, coupées aux dimensions indiquées
- 2 planches de contreplaqué 12 mm pour pièces D et E, coupées aux dimensions indiquées
- 1 baguette ronde en bois de 460 x 25 mm
- perceuse et mèche de 3 mm
- règle, équerre, crayon
- scie cloche 25 mm
- papier abrasif
- vis et clous
- colle à bois

Tout bon bricoleur doit avoir un endroit où ranger ses outils, pour qu'ils soient toujours prêts à l'emploi. Pour faire tes preuves, fabrique ta propre caisse à outils. Si tu en prends soin, elle t'accompagnera pendant des années !

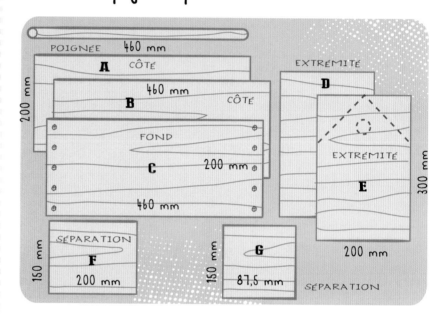

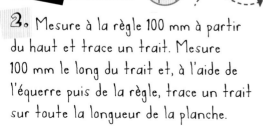

Fais attention !

1. Commence par le fond de la caisse (pièce C) : trace 5 repères à intervalles réguliers à environ 6 mm des deux côtés courts, puis perce avec la mèche de 3 mm.

2. Mesure à la règle 100 mm à partir du haut et trace un trait. Mesure 100 mm le long du trait et, à l'aide de l'équerre puis de la règle, trace un trait sur toute la longueur de la planche.

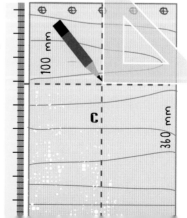

3. Prends les pièces D et E : mesure 100 mm dans le sens de la longueur et trace un trait. Dessine ensuite un trait vertical à 100 mm du bord gauche. Trace deux traits obliques pour former une flèche. Marque un trait à 30 mm de la pointe, puis un repère 35 mm en dessous.

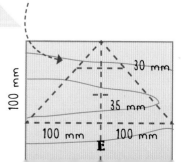

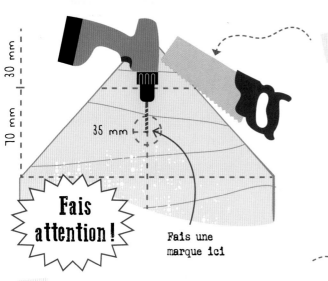

30 mm
10 mm

35 mm

Fais attention !

Fais une marque ici

4. Scie soigneusement les angles, puis coupe le long du trait supérieur. Avec un clou ou un poinçon, fais une marque sur le repère situé à 35 mm. Insère la scie cloche sur la perceuse et perce un trou de 25 mm, à l'endroit de la marque. Découpe et perce l'autre pièce d'extrémité de la même façon. Enfin, ponce tous les bords irréguliers avec du papier abrasif.

5. Prends la pièce A et perce des trous à 6 mm des bords. Mesure 100 mm à partir du côté droit et trace un trait vertical. Fais de même avec la pièce B.

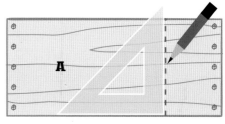

A

100 mm

Assemblage de la caisse à outils

6. Applique un filet de colle le long du bord inférieur des pièces D et E, puis assemble-les à la pièce C en vissant selon les repères que tu as marqués à l'étape 1.

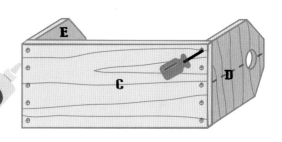

E

C

D

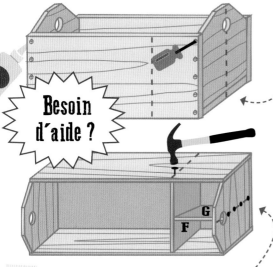

Besoin d'aide ?

G

F

7. Applique un filet de colle le long des bords latéraux des pièces D et E, puis visse les pièces A et B, en les alignant bien. Fais correspondre les traits de repère entre eux.

＊ Glisse la baguette de bois dans les trous et fixe-la avec un peu de colle.

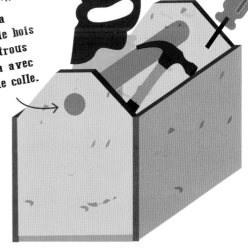

8. Applique un trait de colle le long des bords latéraux des pièces de séparation F et G, puis cloue-les en place, en suivant les traits que tu as tracés aux étapes 2 et 5.

Les nœuds que tout le monde doit connaître !

Connaître quelques nœuds est très utile et te permettra peut-être un jour de te sortir d'une situation délicate ! Voici quelques nœuds de base pour commencer...

Nœud d'écoute

C'est le nœud idéal pour attacher deux cordes ensemble. Il est très solide, mais attention : il peut se desserrer s'il n'est pas sous tension !

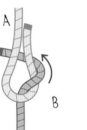
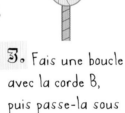
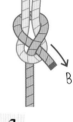
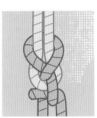

1. Forme une boucle avec la corde A.

2. Passe la corde B dans la boucle de bas en haut, puis derrière la corde A.

3. Fais une boucle avec la corde B, puis passe-la sous le premier brin.

4. Pour finir, tire bien sur la corde B.

* Pour plus de sécurité, passe la corde B autour du brin et forme un nœud en la passant dans la boucle.

Il te faut

- 2 cordes (Tout type de corde convient, mais une corde lisse en fibres naturelles sera plus agréable à manipuler. Une corde en nylon peut brûler les mains si on la tire trop vite.)

Nœud de huit

Voici un nœud utile pour éviter que l'extrémité de la corde s'échappe d'un objet tel qu'une poulie ou un mousqueton. Utilisé à l'origine par les marins, il est aussi couramment employé par les grimpeurs.

1. Fais une boucle avec la corde et enroule-la deux fois.

2. Ramène l'extrémité sur l'avant et insère-la dans la boucle.

3. Tire bien pour serrer le nœud.

Nœud de chaise

Il sert à former une boucle à l'extrémité d'une corde.
Très simple à faire (et surtout à défaire), c'est le roi
des nœuds. Il se resserre si on tire dessus.

Les marins utilisent le nœud de chaise à bord de leur bateau.

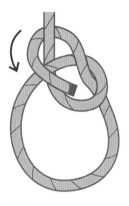

1. Fais une boucle avec la corde.

2. Passe l'extrémité de la corde dans la boucle pour former une boucle plus grande.

3. Passe la corde à l'arrière du brin, puis fais-la revenir vers l'avant et passe-la dans la petite boucle.

4. Pour terminer, tire bien.

La demi-clé

Ce nœud est pratique pour attacher une corde
autour d'un poteau ou d'un arbre. On peut
le desserrer en ramenant les deux brins vers
le nœud ou grâce à la méthode de dénouage rapide.

* Pour défaire ce nœud rapidement, passe une extrémité de la corde sous la deuxième boucle.

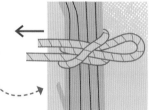
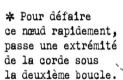

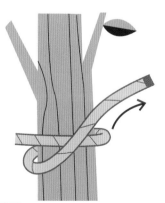
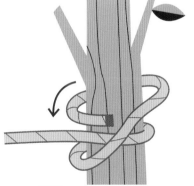
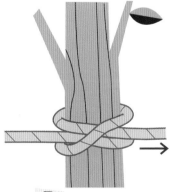

1. Passe la corde autour de l'arbre, puis fais un autre tour pour former une deuxième boucle.

2. Passe l'extrémité de la corde sous la deuxième boucle.

3. Tire bien pour maintenir le nœud en place.

Propulseur à avion en papier

Grâce à ce système de lancement à élastique, tu peux envoyer tes avions en papier plus haut et plus vite. Comment ? Facile ! Tu n'as besoin que de quelques fournitures de bureau classiques.

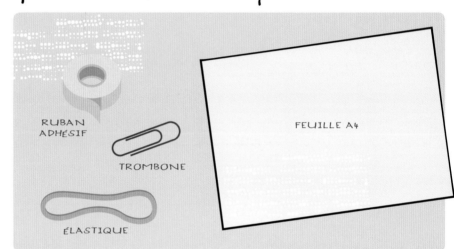

RUBAN ADHÉSIF

TROMBONE

FEUILLE A4

ÉLASTIQUE

Il te faut

- feuille de papier A4
- trombone
- ruban adhésif
- élastique

Attention : installe-toi dehors pour lancer tes avions. Ne vise pas les gens ou les animaux, et veille aussi à ne rien casser !

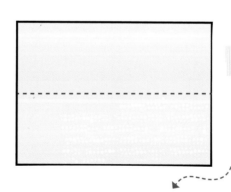

Construis un avion en papier

1. Plie la feuille en deux dans le sens de la longueur, le bas sur le haut. C'est ce que l'on appelle un pli vallée.

2. Prends un coin et replie-le en diagonale vers toi, en alignant le côté sur le pli vallée afin d'obtenir un triangle. Retourne la feuille et fais de même de l'autre côté.

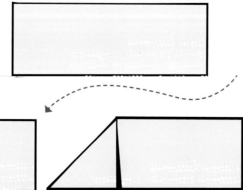

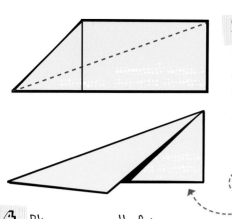

3. Plie un premier côté vers toi, en suivant une diagonale comme représenté sur le dessin. Retourne la feuille et fais de même avec le deuxième côté.

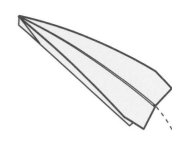

4. Plie une nouvelle fois vers toi en alignant, de chaque côté, les ailes sur le bord du pliage précédent.

✻ Lisse les plis avec le bout du doigt pour qu'ils soient bien nets.

5. Déplie légèrement les derniers plis vers le haut pour former les ailes de l'avion.

Premier vol d'essai...

6. Pose ensuite l'avion à l'envers sur le plan de travail et remets délicatement les ailes à plat.

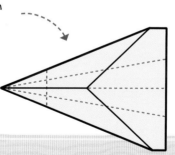

7. Replie la pointe de l'avion vers l'intérieur.

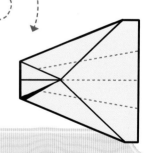

PORTANCE ET PLAN DE SUSTENTATION

Les avions volent grâce à une force appelée "portance". Lorsqu'un avion avance, l'air passe au-dessus des ailes, en même temps que la portance le tire vers le haut.

La forme aérodynamique de l'aile des avions s'appelle un "plan de sustentation". Comme il s'agit d'une forme arrondie, l'air glisse plus vite au-dessus et en augmente la portance. Les pales d'un hélicoptère ont également la forme de plans de sustentation, ce qui lui permet de décoller rapidement.

La force opposée à la portance est la "résistance", qui ralentit l'avion. (Apprends-en plus sur la résistance p. 43.)

Installe le crochet de remorquage

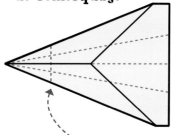

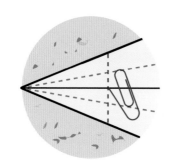

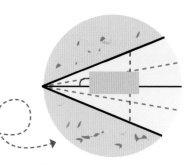

1. Défais le dernier pli. Repère l'intersection entre le pli du nez et le pli vallée.

2. Avec l'extrémité du trombone légèrement déplié, fais un trou au niveau de l'intersection. (Il n'y a qu'une épaisseur de papier à cet endroit, ce sera donc facile.)

3. Insère l'extrémité du trombone dans le trou, jusqu'à la courbure du trombone, puis fixe-le sur le nez de l'avion avec du ruban adhésif.

4. Replie de nouveau le nez vers l'intérieur. Tu ne dois voir que l'extrémité du trombone dépasser du trou que tu as fait, le reste étant coincé sous le nez plié.

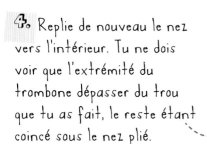

5. Remets les ailes de l'avion dans leur position de départ.

Paré au lancement !

1. Passe l'élastique autour de ton pouce et de ton index, puis étire-le.

2. Enfile l'extrémité du crochet de remorquage sur l'élastique.

C'est parti pour le décollage !

3. Tiens l'avion par le bas, tire-le en arrière de façon à tendre l'élastique, puis lâche !

Cerf-volant

Il te faut

- 1 sac-poubelle résistant blanc ou coloré, de 110 × 80 cm environ
- 2 baguettes rondes en bois de 5 mm de diamètre, de 105 cm de long environ
- une dizaine de fines baguettes en bois
- 20 m de grosse ficelle
- ficelle fine
- ciseaux
- feutre
- mètre ruban
- équerre
- scie
- ruban adhésif large
- fil
- pistolet à colle
- cure-dents

Le cerf-volant est un grand classique. Quand tu auras réalisé le tien, il te suffira de suivre le vent ! Tu peux le faire voler dans un jardin ou en bord de mer ou, encore mieux, au sommet d'une colline.

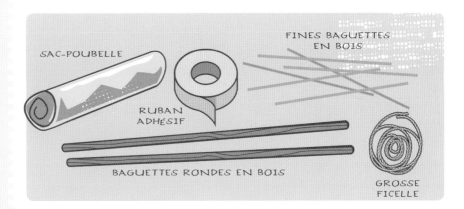

SAC-POUBELLE
RUBAN ADHÉSIF
FINES BAGUETTES EN BOIS
BAGUETTES RONDES EN BOIS
GROSSE FICELLE

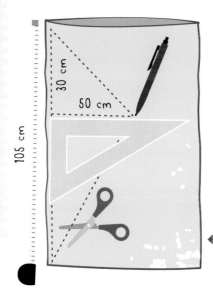

30 cm
50 cm
105 cm

1. Coupe le haut du sac-poubelle sur 2 cm, puis étale-le par terre. Mesure 105 cm le long d'un des grands côtés du sac et trace un repère à chaque extrémité. Mesure 30 cm le long du même côté, puis trace un autre repère. Il marquera le point central du cerf-volant.

2. Place l'équerre sur le repère situé à 30 cm et trace un autre repère à 50 cm. Trace des traits reliant les repères de façon à obtenir un grand triangle. Découpe-le le long de ses deux plus petits côtés, puis déplie-le pour former un losange.

3. Place une baguette de bois le long du cerf-volant, à la verticale (recoupe-la avec la scie si besoin). Fixe-la aux extrémités avec du ruban adhésif en le repliant à l'arrière du sac. Tu as positionné le longeron!

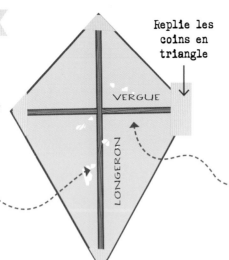

Replie les coins en triangle

VERGUE

LONGERON

4. Positionne la deuxième baguette à angle droit par rapport à la première, comme indiqué sur le dessin. Coupe-la à la bonne longueur. Comme à l'étape précédente, fixe-la avec du ruban adhésif. Voilà, tu as placé la vergue!

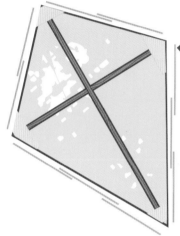

5. Positionne quatre baguettes fines tout autour du cerf-volant. Si elles sont trop courtes, places-en davantage et fais chevaucher leurs extrémités sur 2,5 cm environ.

6. Pour assembler les baguettes qui se chevauchent, entoure-les avec du fil, puis dépose une goutte de colle à chaque tour pour maintenir celui-ci en place. Fais de même pour les trois autres côtés.

7. Place les baguettes à 1 cm environ le long des côtés du cerf-volant, puis relie-les avec du fil aux endroits où elles se croisent, aux quatre angles. Soulève délicatement l'armature de baguettes fines, pose-la sur le côté, puis dépose une goutte de colle à chaque croisement des baguettes.

8. Repose l'armature que tu viens de créer sur le cerf-volant et replie le bord du sac tout autour. Maintiens-la fermement avec du ruban adhésif, de façon à obtenir un cerf-volant bien solide.

9. Pour renforcer ton cerf-volant, fais deux petits trous avec un cure-dents dans le sac à l'intersection des deux grandes baguettes. Passe de la ficelle fine dans les trous et enroule-la plusieurs fois autour des baguettes, puis fais un nœud.

Besoin d'aide?

Point de colle

Fabrique un dévidoir

Prends six bâtonnets en bois. Places-en deux espacés d'une largeur de main, en forme de V inversé. Poses-en deux autres parallèlement, puis colle-les aux points d'intersection, comme indiqué. Fais de même de l'autre côté, avec les deux derniers bâtonnets. Coupe les extrémités qui dépassent avec une scie.

10. Pour réaliser la queue, découpe des bandes fines dans le reste du sac et attache-les les unes au bout des autres pour obtenir une queue de 2 m de long. Fixe la queue à l'extrémité du cerf-volant avec du ruban adhésif.

11. Noue une extrémité de la grosse ficelle à l'intersection des baguettes. (Fais un nœud de chaise, voir p. 11.) L'autre extrémité de la ficelle est celle que tu tiendras. Plus la ficelle est longue, plus ton cerf-volant pourra voler haut.

Admire ton cerf-volant dans le ciel...

FAIS VOLER TON CERF-VOLANT

Choisis un jour venteux ! Tourne le dos au vent et tiens la ficelle à environ 1 m du cerf-volant. Laisse le vent le soulever puis recule, en dévidant la ficelle. Le cerf-volant doit monter au fur et à mesure que tu déroules la ficelle.

PRENDS LE CONTRÔLE : attache de la ficelle aux extrémités de la vergue et noue-la sur la ficelle principale à 3 m du cerf-volant, pour former une bride. Il sera plus difficile de le faire voler au départ, mais tu le contrôleras mieux.

Personnalise ton cerf-volant !

Pour le décorer, tu peux fixer des nœuds en papier de soie sur la queue de ton cerf-volant ou bien coller une image avec du ruban adhésif.

17

Mini-serre en bouteille

De nombreuses plantes ont besoin d'un petit coup de pouce pour grandir. Tu peux leur fournir chaleur et humidité en réalisant une mini-serre en bouteille, à placer sur un rebord de fenêtre, où tu feras pousser des graines.

Il te faut

- 1 bouteille de soda de 2 litres, lavée et séchée
- 1 boîte à œufs à 12 alvéoles
- compost (issu du lombricomposteur, voir p. 44)
- graines
- feutre
- couteau
- ciseaux
- chatterton (ruban adhésif isolant)
- cuillère
- tasse
- eau
- pots de rempotage (facultatif)

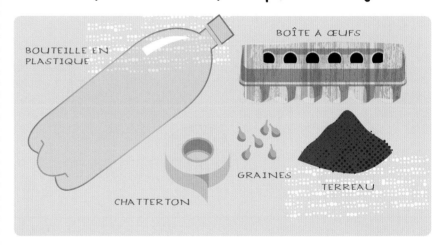

BOUTEILLE EN PLASTIQUE

BOÎTE À ŒUFS

GRAINES

TERREAU

CHATTERTON

1. Couche la bouteille et trace un trait sous la partie arrondie du col. Tourne la bouteille et prolonge le trait tout autour.

2. Fais un trou avec un couteau bien aiguisé au niveau du trait, puis découpe la bouteille tout le long.

3. Fixe le haut de la bouteille (que tu viens de découper) sur le bas avec du chatterton, pour créer une charnière. Tu peux maintenant ouvrir ou fermer la bouteille.

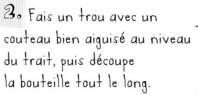

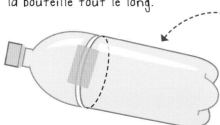

FAIS POUSSER DES PLANTES POUR ATTIRER LES ABEILLES

Les abeilles pollinisent les plantes. Sans elles, de nombreux fruits et légumes n'arriveraient pas à maturité. Aide-les en semant des graines qui les attirent !

Voici quelques espèces de fleurs appréciées des abeilles, dont les graines pousseront facilement dans ta mini-serre :

- myosotis
- capucine
- bleuet
- herbe à chat
- thym
- lavande
- souci
- rose trémière
- sauge
- tournesol

4. Avec les ciseaux, découpe le couvercle de la boîte à œufs, puis recoupe le fond pour ne garder que huit alvéoles.

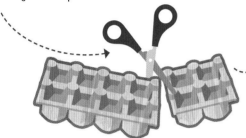

5. Place une graine dans chaque alvéole, puis dépose un peu de terreau par-dessus avec une cuillère.

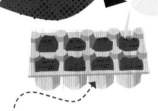

6. Arrose délicatement le terreau à l'aide d'une tasse remplie d'eau.

7. Insère le fond de la boîte à œufs dans la bouteille et referme-la avec du chatterton.

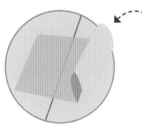

* Tu peux former une petite languette d'ouverture en repliant le chatterton sur lui-même.

8. Pose la bouteille sur un bord de fenêtre ensoleillé, à l'intérieur. Dans une semaine environ, les plantes vont commencer à pousser.

9. Au bout de deux semaines, quand les plantules seront devenues trop grandes pour la mini-serre, transfère-les dans des petits pots ou bien replante-les dans le jardin où tu pourras les voir grandir !

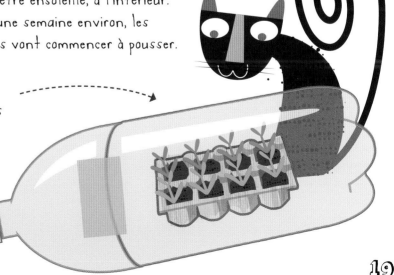

Chasse au trésor

Une chasse au trésor permet de passer un super après-midi et de s'amuser tout en mettant à l'épreuve le sens de l'orientation de tes amis – ainsi que ta capacité à imaginer des énigmes diaboliquement astucieuses !

Trouve d'abord l'endroit idéal pour organiser ta chasse au trésor : suffisamment grand pour faire chercher tes amis, mais pas trop car il ne faut pas qu'ils se perdent ! Choisis ta maison s'il pleut, ou un parc public s'il fait beau.

Il te faut

- fiches cartonnées A4
- feuilles de papier A4
- pochettes en plastique transparent ou sachets refermables
- crayon
- règle
- ciseaux

1. Dessine une carte de la zone choisie pour la chasse au trésor. Si elle se déroule en extérieur, tu dois pouvoir imprimer une vue aérienne trouvée sur Internet.

2. Sur la carte, repère les endroits où tu cacheras les indices et le trésor. Relie-les avec des pointillés pour visualiser le parcours.

3. Imagine maintenant les indices. (Tu trouveras des idées p. 21.) Les énigmes doivent donner à réfléchir, mais ne pas être trop difficiles : il faut que tes amis puissent les résoudre !

※ Montre tes énigmes à un adulte, qui vérifiera qu'elles ne sont ni trop faciles ni trop difficiles.

4. Inscris chaque indice sur un morceau de papier différent, puis glisse-les dans des pochettes en plastique pour les protéger.

5. Cache les indices (sauf le premier) et le trésor.

6. Réunis tes amis et donne-leur le premier indice. C'est parti ! (Teste d'abord toi-même le parcours, pour vérifier qu'il est faisable et avoir une idée du temps nécessaire.) Une chasse au trésor réussie comporte des énigmes qui demandent réflexion, mais qui sont amusantes, et suffisamment d'étapes pour que le parcours soit intéressant.

※ C'est ta carte de meneur de jeu, ne la montre à personne !

Types d'indices...

Voici quelques idées d'énigmes :

Devinette

Question : qu'est-ce qui est plein de trous, mais qui retient l'eau ?

Réponse : une éponge. (Place l'indice suivant sous une éponge dans la salle de bains.)

Anagramme

Inverse les lettres de l'indice.
ERÈIRRED EL REISOR
(DERRIÈRE LE ROSIER)

Rimes

Remplace les mots principaux de l'indice par des mots qui riment.

Farde sur la fermière exagère du gigot.

(Regarde sur la première étagère du frigo.)

Voiture en kit

À chaque étape, laisse un objet que les participants devront récupérer. Par exemple, place des ballons, des pailles, des bouchons et des boîtes en carton dans chacune des cachettes. À la fin du parcours, tes amis pourront réaliser une voiture de course ballon (voir p. 42). Prévois assez de fournitures pour que chacun puisse fabriquer la sienne.

Puzzle

Colle une image sur du papier cartonné. Quand la colle est sèche, découpe-le en puzzle, avec une pièce pour chaque indice. À chaque cachette, glisse une pièce dans la pochette qui contient l'énigme. Les participants devront réunir toutes les pièces pour assembler le puzzle. C'est une manière rigolote de t'assurer qu'ils ont fait l'intégralité du parcours !

LE GÉOCACHING : QUÈSACO ?

Le géocaching est une sorte de chasse au trésor. Une géocache est une boîte cachée quelque part et le seul indice fourni est sa localisation (sa longitude et sa latitude), ainsi que quelques précisions. Les explorateurs se lancent alors pour retrouver la géocache.

La boîte doit être résistante et munie d'un couvercle hermétique. Elle contient un registre que chacun signe pour signaler sa visite et de petits objets à échanger avec les autres participants.

Les joueurs peuvent aussi laisser des indices dans le registre pour conduire les participants à leur propre géocache.

* Une bonne manière d'apprendre à lire des coordonnées géographiques.

LOCALISATION :
48.895814
2.366158

Bulles giga-énormes

Les bulles, c'est sympa, mais c'est encore mieux quand elles sont énôôôôrmes, non ? Faire des bulles géantes est facile et amusant. En raison de leur taille et des projections qu'elles font quand elles éclatent, installe-toi dehors.

Il te faut

- 2 manches à balai, 2 grosses baguettes rondes en bois ou 2 gros bâtons
- corde en coton ou en chanvre
- 1 grande rondelle métallique ou 1 écrou
- 2 pitons à œil
- perceuse
- ciseaux
- 2 grands saladiers
- tasse
- seau peu profond

POUR LE LIQUIDE À BULLES :

- 1 litre d'eau
- 1 cuillerée à soupe d'alcool à 90°
- 1 cuillerée à café de gomme de guar en poudre (en grandes surfaces ou sur Internet)
- 3 cuillerées à soupe de liquide vaisselle

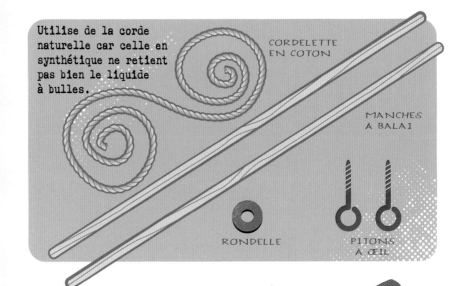

Utilise de la corde naturelle car celle en synthétique ne retient pas bien le liquide à bulles.

CORDELETTE EN COTON

MANCHES À BALAI

RONDELLE

PITONS À ŒIL

1. Fabrique tes baguettes à bulles. Fais un petit trou à chaque extrémité des manches à balai (baguettes ou bâtons) et visses-y les pitons à œil.

Fais attention !

2. Coupe 2 m de corde avec des ciseaux, puis enfiles-y la rondelle (ou l'écrou). Noue ensuite les deux bouts de la corde aux pitons.

La rondelle agit comme un lest sur la corde et l'aide à garder une forme en U.

3. Coupe 1 m de corde et noue-la aussi aux pitons. Les baguettes sont prêtes !

C'est parti...

pour les bulles !

4. Verse l'eau dans un saladier. Garde l'équivalent d'une tasse pour le second saladier.

5. Ajoute l'alcool dans le second saladier, verse progressivement la gomme de guar et mélange jusqu'à obtenir une pâte fine. (Si tu verses la poudre trop vite, des grumeaux vont se former.)

6. Verse la préparation dans l'eau du premier saladier, ajoute le liquide vaisselle et mélange doucement jusqu'à ce qu'il soit bien incorporé. Verse dans le seau : c'est prêt !

7. Tiens les deux baguettes, une dans chaque main. Trempe les cordes dans le seau et ressors-les avec précaution. Place-toi dos au vent, écarte lentement les baguettes en levant les bras. Laisse la bulle se former toute seule, puis regarde-la s'envoler.

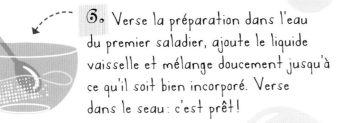

COMMENT FONCTIONNE UNE BULLE ?

L'eau est composée de molécules qui aiment se coller les unes aux autres. Remplis lentement une tasse d'eau, jusqu'au bord (au-dessus de l'évier !). L'eau monte légèrement au-dessus du bord de la tasse avant de déborder. On a l'impression que la surface de l'eau est recouverte d'un élastique qui s'étire. Cet effet "collant" de l'eau, appelé "tension de surface", est dû à l'interaction des molécules avec l'air.

Le fait d'ajouter du liquide à bulles dans l'eau augmente la tension de surface, ce qui permet au liquide de s'étirer et de former des bulles géantes.

Bulle encore plus !
Personnalise tes baguettes à bulles en nouant d'autres cordes à l'intérieur des deux premières pour former un maillage. Celui-ci va créer des centaines de bulles plus petites en une seule fois !

Visionneuse solaire

Il est dangereux de regarder le Soleil directement, alors comment l'observer? Fabrique une visionneuse pour admirer toutes les choses stupéfiantes qui s'y passent – sans t'abîmer les yeux!

Il te faut

- 1 fiche cartonnée A4
- 1 feuille de papier fin A4
- cure-dents ou aiguille
- grand carton long (comme un carton de colis ou une boîte à chaussures)
- papier blanc
- crayon
- équerre graduée
- ciseaux
- papier d'aluminium
- ruban adhésif

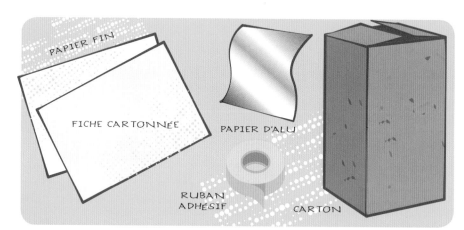

PAPIER FIN

FICHE CARTONNÉE

PAPIER D'ALU

RUBAN ADHÉSIF

CARTON

1. Plie la feuille de papier en deux, puis une nouvelle fois en deux. Déplie-la et pose-la sur la fiche cartonnée. Appuie la mine du crayon au centre de la feuille pour marquer le milieu de la fiche en dessous.

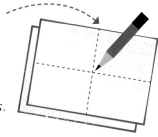

2. Avec le crayon et l'équerre, mesure et trace sur la fiche deux traits perpendiculaires de 10 cm qui se croisent en ce point central.

3. Trace quatre autres traits de 10 cm pour obtenir un carré, puis découpe-le.

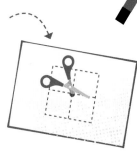

4. Découpe un carré de papier d'aluminium de 15 × 15 cm et fixe-le sur la fenêtre de la fiche avec du ruban adhésif. Fais un trou de moins de 1 mm au centre avec le cure-dents (ou l'aiguille).

Très important !

Ne regarde JAMAIS
le Soleil directement,
ni avec des jumelles.

5. Un jour ensoleillé, tiens la visionneuse dans ta main et projette l'image du Soleil sur un mur blanc ou sur une feuille posée par terre. Plus la visionneuse est éloignée de la surface de projection, plus l'image du Soleil est grande. Demande à un ami de tenir la visionneuse pendant que tu observes l'image projetée, puis inversez les rôles.

Projette l'image du Soleil sur une grande feuille de papier...

La boîte à Soleil

1. Selon la taille du carton, découpe une fenêtre dans l'une des extrémités (en laissant une marge tout autour) et fixe fermement la visionneuse sur la fenêtre avec du ruban adhésif. Si le côté de la boîte est plus petit que la fiche, retire-le entièrement, puis recoupe la fiche aux bonnes dimensions et maintiens-la avec du ruban adhésif.

2. Découpe une ouverture à l'avant de la boîte, du côté opposé à celui de la visionneuse. Elle doit mesurer au moins 15 cm de hauteur. Mesure le fond de la boîte et colles-y une feuille de papier de la même dimension.

Marge de soutien

✳ La boîte évite que la lumière extérieure ne vienne gêner, ainsi on voit mieux les détails du Soleil, tels que les taches.

COMMENT FONCTIONNE LA BOÎTE À SOLEIL ?

Cette méthode simple mais efficace pour observer le Soleil est une sorte de "camera obscura", le premier appareil photo. Elle fonctionne comme l'œil humain. Les rayons du Soleil (ou les rayons de lumière réfléchis par un objet) s'infiltrent dans le trou, qui les dirige à la manière d'une lentille. En passant par le trou, ils sont inversés : l'image de l'objet apparaît à l'envers sur le papier.

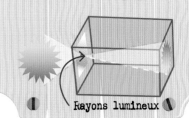

Rayons lumineux

25

Il te faut

- boîte en plastique étanche de 500 ml avec une grande ouverture. Cela suffira pour contenir l'ensemble des objets cités ici, en les rangeant bien. Tout ton nécessaire sera ainsi rassemblé au même endroit – et au sec!

Kit d'urgence pour camping

Si tu pars quelque temps en exploration, il est important que tu emportes avec toi le matériel nécessaire. Outre une tenue adéquate, il y a quelques objets essentiels que tout explorateur doit avoir avec lui. Passage en revue!

Chaussettes en laine

La laine ne retenant pas l'eau, tes orteils resteront bien au chaud!

Fil et aiguille

Pour réparer diverses choses lorsque tu campes.

Couverture de survie

Une face est réfléchissante, l'autre isolante.

Sacs-poubelle

Grands, étanches, faciles à ranger et personnalisables à l'infini. En camping, ils peuvent avoir un millier d'utilisations:

- Remplis un sac-poubelle de vêtements et serre-le bien. Tu disposes ainsi d'un siège qui te protégera des surfaces mouillées.
- Un sac pourra faire office de bâche improvisée.
- Fais un trou dans le fond, et tu auras alors un poncho des plus stylés en cas de pluie!

Sifflet

Pour donner ta position ou pour faire fuir les animaux.

Trousse de secours

Tu dois avoir avec toi une trousse de premiers secours contenant: des pansements, du désinfectant, des bandes, des bandages de contention, une pince à épiler, une pommade antibiotique, des compresses.

Comprimés pour purifier l'eau

Tu peux en avoir besoin si tu te rends dans une zone isolée sans accès à l'eau potable.

Confectionne un bracelet en paracorde

1. Prends un morceau de paracorde mesurant cinq fois le tour de ton poignet. Attache le milieu de la corde sur un anneau de porte-clés. Passe l'un des brins autour de ton poignet en formant une boucle, puis noue l'autre côté à l'anneau, comme sur le dessin.

2. Forme deux boucles avec les brins : l'une se place au-dessus des cordons du milieu, l'autre en dessous. Passe ensuite les brins dans la boucle qui leur est opposée.

3. Tire bien sur les extrémités. Tu viens de réaliser le premier nœud de ton bracelet en paracorde.

4. Forme un nouveau rang en alternant le sens : la boucle de gauche doit venir en dessous, celle de droite au-dessus. Tu auras ainsi un bracelet bien régulier.

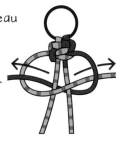

5. Tire bien les extrémités passées à l'intérieur des boucles puis réalise le rang suivant, et ainsi de suite...

6. Arrête quand tu arrives au bout de la boucle de départ, de façon à garder assez de longueur pour y faire passer l'anneau et fermer le bracelet.

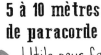

7. Forme des boucles avec les brins, passe-les dans la boucle de départ, puis glisse-les dans le dernier rang. Tire bien.

Couteau suisse
Contenant une lame de couteau, une scie, une pince et un ouvre-boîte.

5 à 10 mètres de paracorde
Utile pour faire des nœuds et de nombreuses autres choses.

Allume-feu
(voir le projet p. 32.)

Petit miroir
Pour réfléchir les rayons du soleil et envoyer des signaux à distance.

NRJ

Des rations de survie
Les barres énergétiques du commerce se conservent longtemps.

Échelle de corde

Tu as besoin d'un moyen d'accéder rapidement à ta cachette préférée? Ou de monter dans le lit superposé pour échapper à tes empoisonnants petits frères et sœurs? Voici ce qu'il te faut: une échelle de corde!

Il te faut

- baguettes rondes en bois de 60 cm (pour les échelons)
- corde très résistante (voir la remarque plus bas)
- mètre ruban
- crayon
- serre-joint
- clou ou poinçon
- perceuse
- scie cloche (d'un diamètre légèrement supérieur à celui de la corde utilisée)

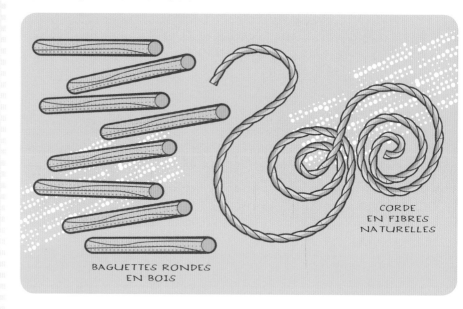

CORDE EN FIBRES NATURELLES

BAGUETTES RONDES EN BOIS

Question de poids

Vérifie que la corde que tu vas utiliser est assez solide pour supporter ton poids. En cas de doute, pèse-toi puis renseigne-toi dans ton magasin de bricolage.

1. Mesure la hauteur que tu souhaites atteindre avec ton échelle, puis ajoute la moitié de la hauteur à ce chiffre (pour tenir compte de la longueur de corde utile à la réalisation des nœuds). Prévois une deuxième corde de même longueur, car il faut une corde pour chaque côté de l'échelle.

2. Détermine le nombre d'échelons dont tu auras besoin. Divise la hauteur de l'échelle par 20 environ (ou par la distance que tu souhaites entre chaque échelon): tu obtiens le nombre d'échelons nécessaires pour ton échelle. Par exemple, pour une échelle de 1,20 m, il te faudra six échelons.

3. Prends le premier échelon et mesure environ 5 cm à partir de l'extrémité. Trace un point : tu y feras le trou pour passer la corde. Fais de même à l'autre extrémité, puis répète l'opération avec les autres échelons.

4. Tiens l'échelon fermement en main ou immobilise-le avec un serre-joint. À l'aide du clou ou du poinçon, fais une marque dans le bois sur le repère.

Fais attention !

5. Avec la perceuse munie de la scie cloche, fais un trou sur la marque. Procède de même de l'autre côté, puis avec tous les échelons.

Passe aux nœuds...

6. En commençant par le bas de l'échelle, fais un nœud à l'extrémité de la corde, puis enfile un échelon et fais-le descendre jusqu'au nœud que tu viens de faire. Fais un autre nœud juste au-dessus de l'échelon.

7. Mesure environ 20 cm, fais un autre nœud sur la corde, puis enfile un autre échelon. Continue ainsi jusqu'en haut de l'échelle. Fais de même pour l'autre côté, en plaçant les nœuds et les échelons à la même hauteur que sur la première corde pour que les échelons soient bien droits.

Astuce : Fais un nœud final en reliant les cordes en haut de l'échelle.

Nichoir pour roitelets

Fabrique une belle maison adaptée à ces tout petits amis à plumes. Les roitelets sont parfois difficiles à voir, mais leur chant aigu t'indiquera leur présenc et qu'ils sont heureux d'avoir un nouveau chez-eux tout neuf !

Il te faut

- planchettes en bois dur de 12,5 mm d'épaisseur (coupées aux dimensions indiquées)
- baguette ronde de 6 mm de diamètre
- règle
- cale à poncer et papier abrasif
- perceuse
- mèches (3 et 6 mm)
- scie cloche de 25 mm
- tournevis
- peinture (voir p. 31)
- pinceau
- fil de fer

Un petit coup de pouce à la nature

Un nichoir offre un abri sûr aux oiseaux, où ils pourront faire leur nid et élever leurs petits. Si tu l'installes en automne, il servira aussi de perchoir aux petites espèces, telles que la mésange bleue, le roitelet ou le moineau.

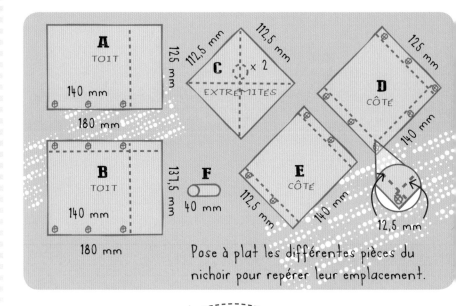

A TOIT — 125 mm — 140 mm — 180 mm

C × 2 EXTRÉMITÉS — 112,5 mm — 112,5 mm — 112,5 mm

D CÔTÉ — 125 mm — 140 mm — 12,5 mm

B TOIT — 137,5 mm — 140 mm — 180 mm

F — 40 mm

E CÔTÉ — 112,5 mm — 140 mm

Pose à plat les différentes pièces du nichoir pour repérer leur emplacement.

1. Commence par poncer les éventuelles irrégularités des pièces afin qu'elles s'alignent bien les unes par rapport aux autres. Ôte la poussière avec un chiffon humide.

Fais attention !

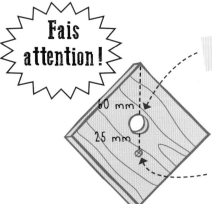

60 mm
25 mm

2. À l'aide de la scie cloche, fais un trou dans l'une des pièces C, à 60 mm du haut, en partant d'un angle. Ponce le pourtour pour qu'il soit bien lisse. Cette ouverture sera l'entrée du nichoir. Marque un repère 25 mm en dessous du trou d'entrée.

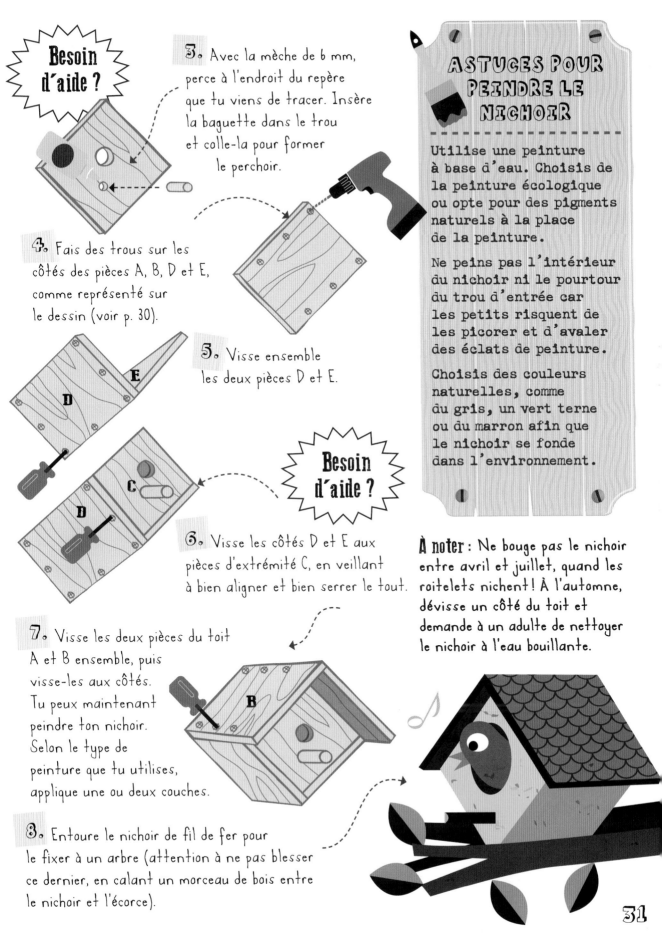

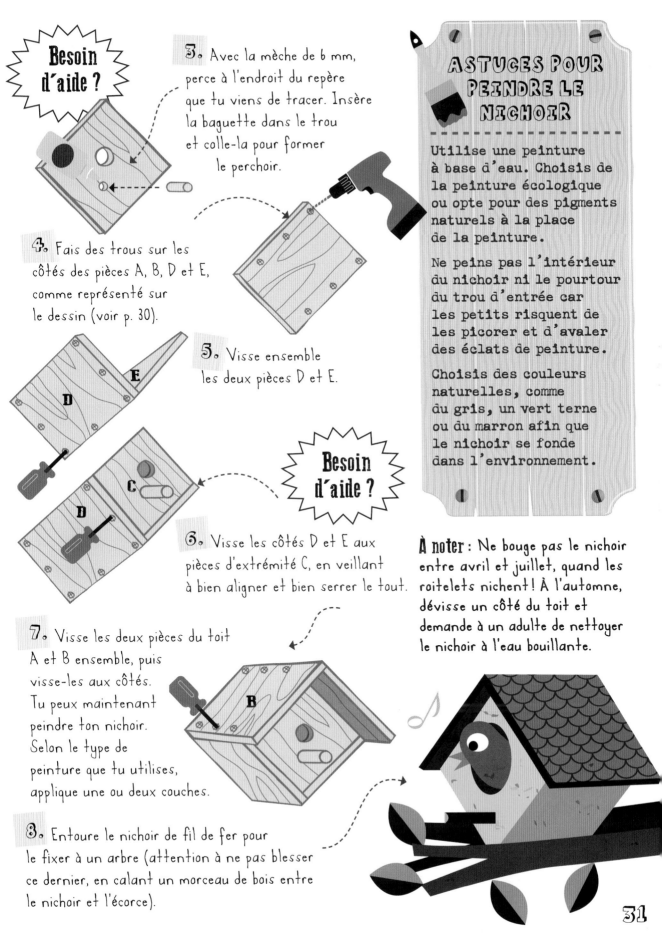

Besoin d'aide ?

3. Avec la mèche de 6 mm, perce à l'endroit du repère que tu viens de tracer. Insère la baguette dans le trou et colle-la pour former le perchoir.

4. Fais des trous sur les côtés des pièces A, B, D et E, comme représenté sur le dessin (voir p. 30).

5. Visse ensemble les deux pièces D et E.

Besoin d'aide ?

6. Visse les côtés D et E aux pièces d'extrémité C, en veillant à bien aligner et bien serrer le tout.

7. Visse les deux pièces du toit A et B ensemble, puis visse-les aux côtés. Tu peux maintenant peindre ton nichoir. Selon le type de peinture que tu utilises, applique une ou deux couches.

8. Entoure le nichoir de fil de fer pour le fixer à un arbre (attention à ne pas blesser ce dernier, en calant un morceau de bois entre le nichoir et l'écorce).

ASTUCES POUR PEINDRE LE NICHOIR

Utilise une peinture à base d'eau. Choisis de la peinture écologique ou opte pour des pigments naturels à la place de la peinture.

Ne peins pas l'intérieur du nichoir ni le pourtour du trou d'entrée car les petits risquent de les picorer et d'avaler des éclats de peinture.

Choisis des couleurs naturelles, comme du gris, un vert terne ou du marron afin que le nichoir se fonde dans l'environnement.

À noter : Ne bouge pas le nichoir entre avril et juillet, quand les roitelets nichent ! À l'automne, dévisse un côté du toit et demande à un adulte de nettoyer le nichoir à l'eau bouillante.

31

Allume-feu pour feu de camp

Il te faut

- vieux journal
- peluches de vêtements (prélevées dans le filtre du sèche-linge, voir p. 63)
- ficelle
- bougie
- allumettes
- sac étanche

Ce n'est pas toujours facile d'allumer un feu de camp. Pour y remédier, pourquoi ne pas préparer des allume-feu? Ces petits paquets simples à réaliser apporteront la chaleur suffisante pour que le feu démarre du premier coup. Magique!

JOURNAL

PELUCHES

FICELLE

BOUGIE

1. Déchire en quatre une page de vieux journal.

2. Chiffonne les morceaux, puis déplie-les.

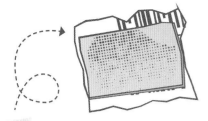

3. Place une bonne quantité de peluches sur un morceau de papier froissé.

Astuce : Protège le plan de travail avec une autre feuille de journal. La cire peut être difficile à retirer sur certaines surfaces.

4. Enroule le papier sans serrer, puis entoure-le de ficelle pour qu'il tienne en place. Fais de même avec les autres morceaux de papier journal.

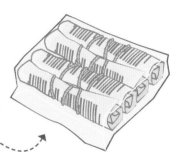

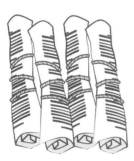

Fais attention !

5. Dispose les rouleaux sur le plan de travail. Allume la bougie et fais couler de la cire partout sur les rouleaux.

✳ Retourne les rouleaux en gardant bien tes doigts à l'écart de la cire chaude.

6. Quand les rouleaux sont bien enduits de cire, laisse sécher et durcir complètement.

7. Range tes allume-feu ainsi que des allumettes dans un sac étanche jusqu'à utilisation.

COMMENT FAIRE UN FEU DE CAMP PARFAIT ?

• Assure-toi avant tout que tu peux faire du feu là où tu te rends.

• Trouve un endroit approprié dans un grand espace dégagé, sans branches surplombantes.

• Dégage une zone plane et sèche puis, avec des pierres moyennes à grosses, forme un cercle d'1 m de diamètre.

• Place quelques allume-feu au centre du foyer.

• Empile des brindilles et de petites branches sèches afin de former une pyramide pas trop serrée, avec beaucoup d'interstices pour que l'air puisse circuler.

• Mets de côté des branches plus grosses pour entretenir le feu (ainsi qu'un seau rempli d'eau ou de sable pour l'éteindre).

• Allume les allume-feu. Le feu devrait prendre aussitôt !

Allume-feu   Pierres

Brindilles

Épée en mousse

Il te faut

- 1 frite en mousse
- 1 manche à balai
- règle ou mètre ruban
- feutre
- scie à bois
- papier abrasif
- colle pour plastique
- carton
- ciseaux
- ruban adhésif

Tout grand gaillard a besoin d'une arme pour défendre son territoire! Fabrique-toi une épée en mousse avec une frite de piscine, un manche à balai et du carton!

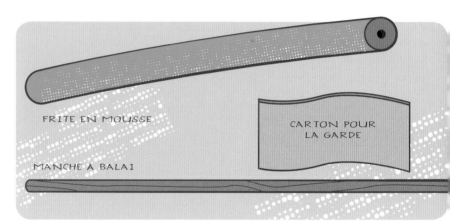

FRITE EN MOUSSE

CARTON POUR LA GARDE

MANCHE À BALAI

La plupart des frites de piscine ont une cavité ronde à leur extrémité qui correspond parfaitement au diamètre d'un manche à balai. À défaut de manche à balai, utilise une baguette ronde en bois ayant à peu près le même diamètre que le trou de la frite.

1. Mesure 30 cm à partir d'une extrémité de la frite et trace un repère. Mesure la distance entre ce repère et l'autre extrémité de la frite et garde-la en mémoire.

30 cm

13 cm

Distance mesurée

2. Reporte cette mesure sur le manche à balai et trace un repère. Ajoute ensuite 13 cm pour la poignée en traçant un autre repère.

3. Prends le manche à balai en main et scie-le au niveau du deuxième trait.

Fais attention!

4. Arrondis les extrémités du manche à balai avec le papier abrasif. Cela évitera que toi ou tes amis vous blessiez.

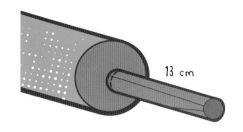

13 cm

5. Tout en inclinant légèrement la frite, verse de la colle dans le trou. (Pas trop: elle ne doit pas ressortir par l'autre côté!)

6. Insère avec précaution le manche à balai jusqu'au trait. Il doit glisser sans difficulté.

Prépare la garde de l'épée

7. Découpe un rectangle de carton de 25 × 10 cm. (Tu peux arrondir les angles si tu le souhaites.). Incurve-le délicatement pour qu'il forme un arceau au-dessus de ta main.

8. Découpe deux trous dont le diamètre est un peu plus grand que celui de la poignée, à 3 cm environ de chaque côté du carton.

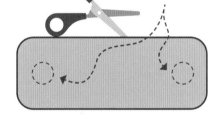

✳ Tu remarqueras que l'extrémité de l'épée est flexible!

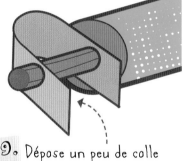

9. Dépose un peu de colle à l'extrémité de la frite, puis glisse la garde sur la poignée, en la collant à la frite. Maintiens-la avec du ruban adhésif le temps que la colle sèche. Et voilà: tu as maintenant une arme bien à toi pour te battre en duel!

Le choix des armes!
Modifie la conception et réalise des épées courtes ou une arme à double extrémité en insérant la poignée au centre!

Paire d'échasses

Tu es impatient de grandir ? Réalise ton rêve, avec des échasses ! Celles-ci sont faites en bois classique, mais le résultat sera à la hauteur ! Le gros avantage, c'est que tu pourras les fabriquer avec des matériaux que tu trouveras facilement dans tous les magasins de bricolage.

120 cm

CALE

10 cm

15 cm

MONTANTS

Il te faut

- 2 tasseaux 5 × 5 cm, de 120 cm de longueur
- 1 morceau de bois 5 × 10 cm, de 15 cm de longueur
- règle et crayon
- équerre
- scie à bois
- poinçon
- perceuse
- mèches
- vis très longues
- colle à bois

Centre de la cale

1. Pose le morceau de bois destiné aux cales sur une table et trace les diagonales qui relient les angles opposés. À l'intersection, trace un X pour repérer le centre.

2. Positionne l'équerre à angle droit du morceau de bois, le côté le plus long au contact du X, comme sur le dessin. Trace un trait de façon à obtenir un angle de 45°.

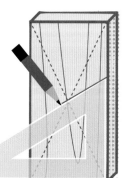

3. Avec la scie, découpe le morceau de bois le long du trait. Tu obtiens ainsi deux cales, chacune munie d'un côté oblique. C'est là que tu poseras tes pieds !

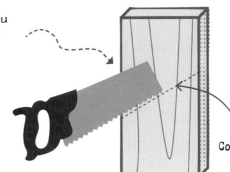

* Vérifie toujours tes mesures avant de découper tes pièces !

Coupe ici

4. Fabrique les montants ! Décide à quelle hauteur tu veux placer les cales. (Mieux vaut ne pas les fixer trop haut, sinon tu n'auras plus rien pour te tenir !) Mesure cette distance en partant de l'extrémité d'un des montants puis reporte-la sur le deuxième montant.

Astuce : Ponce les montants pour éliminer les échardes.

Fais attention !

5. Pose une cale sur son côté le plus long et marque un repère avec le poinçon, puis fais un trou légèrement plus grand que la tête de la vis. Perce sur 2,5 cm environ. Finalise le trou avec une mèche un peu plus fin que le diamètre de la vis. Pratique un trou similaire dans le côté oblique de la cale. Procède de même avec la deuxième cale.

Astuce : Ajoute de la colle pour plus de solidité.

* Un étau serait utile ici pour tenir la cale bien droite !

6. Place les cales sur les montants, alignées sur les traits de crayon. Visse-les en place. Tes échasses sont prêtes !

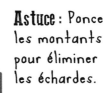

2,5 cm

2,5 cm

Permis de gaffer !
Enroule du gaffer (adhésif super résistant) autour des montants à l'endroit où tu les tiens pour que cela soit plus confortable.

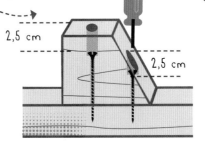

Insecte-robot bourdonnant

Tu rêves d'avoir un robot de compagnie? Grâce à ce projet, un simple circuit électrique va te permettre de créer un insecte-robot vibrant. Tu pourras ensuite t'amuser à le personnaliser.

Il te faut

- pile bouton et support
- moteur vibrant d'un téléphone portable usagé (ou acheté dans un magasin de composants électroniques)
- étau troisième main
- fer à souder
- vieille brosse à dents
- tasse d'eau chaude
- pince
- pistolet à colle
- pince à épiler
- scie à métaux
- 2 trombones
- 2 yeux mobiles en plastique

Pour tes parents !

Ce projet requiert la soudure de composants électroniques. Surveillez votre enfant car le fer à souder est très chaud. Soyez particulièrement vigilant à cette étape et installez-vous dans une pièce bien aérée.

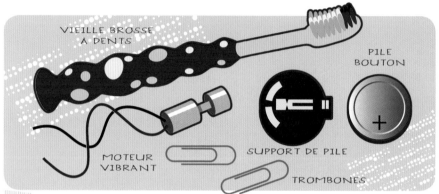

VIEILLE BROSSE À DENTS

PILE BOUTON

MOTEUR VIBRANT

SUPPORT DE PILE

TROMBONES

1. Enserre le support de pile (vide) et le moteur vibrant dans les pinces de l'étau. Place-les près l'un de l'autre.

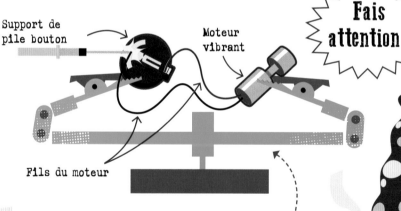

Support de pile bouton

Moteur vibrant

Fais attention !

Fils du moteur

2. Soude minutieusement les fils du moteur sur le support de pile pour obtenir un circuit. Teste le circuit en plaçant la pile dans le support: le moteur doit vibrer.

3. Fais tremper quelques minutes la brosse à dents dans de l'eau chaude. Retire-la et écartes-en délicatement les poils en appuyant la tête contre la table, jusqu'à ce que les poils aient refroidi. Ils feront ainsi un support stable pour ton robot.

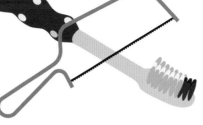

4. Coupe la tête de la brosse à dents avec la scie à métaux, en laissant 2,5 cm environ de manche : ce sera la queue de l'insecte !

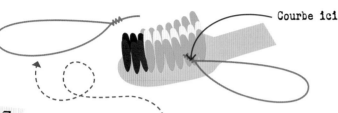

Courbe ici

5. À l'aide d'une pince, déplie les trombones, puis donne-leur une forme d'aile. Entortille les extrémités ensemble et courbe-les légèrement. Mets-les de côté.

FOURNIR DE L'ÉNERGIE

Le fait d'apporter un courant électrique au moteur le fait tourner. Veille à fournir la bonne quantité d'énergie électrique (3 volts), sinon tu risques de faire griller le moteur. Les moteurs vibrants de téléphone portable fonctionnent généralement sur du 3 volts, ce qui correspond à la plupart des piles bouton.

Fabrique l'insecte...

6. Tiens fermement la brosse en enserrant les poils avec la pince, dirige-la les poils vers le bas et dépose un trait de colle chaude le long de la tête.

❋ L'arbre du moteur ne doit pas toucher le manche.

7. En tenant toujours fermement la brosse, places-y le support de pile et le moteur grâce à la pince à épiler. Laisse refroidir.

Veille à ce que le support de pile et le moteur soient parfaitement centrés sur la brosse à dents, pour assurer un bon équilibre.

Tu auras peut-être besoin d'aide pour coller les ailes en place !

Fais attention !

8. Retourne la brosse à dents et insère les ailes entre les poils. Fixe-les en place avec une goutte de colle. Enfin, colle les yeux mobiles sur l'avant du support de pile.

bzzzzzzzzzzzzzzzzzz

9. Insère la pile, pose ton insecte-robot sur une surface plane et admire-le en action !

39

Il te faut

- livre relié*
- sac en plastique ou film alimentaire
- feuille en plastique dur d'environ la taille du livre (pour servir de planche à découper)
- ruban de masquage
- règle métallique
- 2 serre-joints
- cutter
- colle blanche
- petit pinceau

* Ne détruis jamais un livre neuf ! Achètes-en un vieux dans une librairie d'occasion ou demandes-en un à tes parents. Si tu le souhaites, tu peux décorer la couverture pour changer l'aspect du livre.

Pour tes parents !

Ce projet requiert l'utilisation d'un cutter. Un enfant peut tout à fait s'en servir sans danger, mais pas sans la présence d'un adulte.

Livre-coffret secret

Fabrique une cachette secrète dans un vieux livre relié. En découpant l'intérieur du livre, tu obtiendras un espace où dissimuler tes effets personnels. Range le livre sur ton étagère et personne ne trouvera tes petits trésors, pourtant à la vue de tous !

RUBAN DE MASQUAGE

COLLE

PINCEAU

LIVRE

Pour que le livre ait l'air intact au premier coup d'œil, tu ne devras découper que les pages intérieures.

1. Prends les dix premières pages environ du livre et enveloppe-les, avec la couverture, dans un petit sac en plastique (ou du film alimentaire). Colle-le bien avec du ruban de masquage.

2. Compte une dizaine de pages à la fin du livre et pose la feuille en plastique dessus. Avec quatre morceaux de ruban de masquage, délimite un rectangle à l'intérieur de la nouvelle première page de ton livre.

3. Place la règle métallique sur le ruban de masquage le plus proche de la pliure puis, à l'aide de deux serre-joints, enserre le livre et la règle sur le bord du plan de travail, pour que le livre ne glisse pas.

Fais attention !

✳ Tu auras peut-être besoin d'aide pour serrer les serre-joints.

Fais attention !

Tiens le cutter fermement et garde tes doigts bien à l'écart de la lame !

✳ Coupe de là à là.

4. Avec le cutter, découpe lentement et minutieusement les pages du livre le long de la règle métallique, en suivant le bord intérieur du ruban de masquage.

✳ Découper un livre est un travail difficile, alors fais une pause si tu es fatigué !

5. Découpe en partant des angles pour que ce soit bien net, jusqu'à ce que tu atteignes la feuille en plastique. Tourne le livre au fur et à mesure en remettant les serre-joints, bien serrés.

6. Une fois toutes les pages découpées, défais les serre-joints et enlève tous les petits morceaux de papier.

7. Verse de la colle blanche dans un pot, puis ouvre l'arrière du livre. Retire la feuille en plastique et, avec le pinceau, applique de la colle tout autour de la dernière page coupée. Referme le livre.

8. Ouvre ensuite l'avant du livre et applique avec précaution de la colle entre chacune des pages coupées. Referme le livre et enserre-le entre les serre-joints, puis laisse sécher toute la nuit.

9. Une fois la colle sèche, ouvre le livre et retire le ruban de masquage ainsi que le plastique qui recouvrait l'avant. Tu peux maintenant dissimuler tes petits trésors !

Voiture de course ballon

Il y a des trésors dans la poubelle à recyclage!
Des bouteilles de soda, des briques de jus de fruits…?
Transforme-les (après les avoir lavées, bien sûr!)
en une voiture de course ultra-rapide. Invite tes amis
à fabriquer les leurs, et la course peut commencer!

Il te faut

- brique de jus de fruits rectangulaire lavée et séchée
- 2 pailles
- 4 grands bouchons en plastique
- ballon
- règle et crayon
- ciseaux
- perceuse et mèche
- agrafeuse

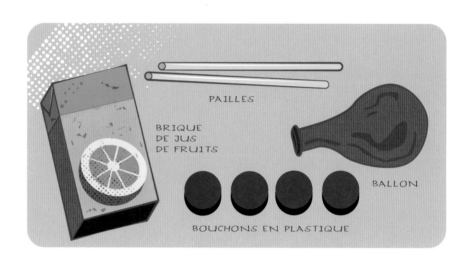

PAILLES

BRIQUE DE JUS DE FRUITS

BALLON

BOUCHONS EN PLASTIQUE

1. Sur l'un des côtés de la brique, mesure environ 2,5 cm à partir du bord et marque un repère. Fais de même à l'autre extrémité, puis de l'autre côté de la brique.

2. Avec la pointe des ciseaux, fais un trou dans la brique au niveau du repère, puis tourne-la sur elle-même pour agrandir le trou afin de faire passer les pailles. Fais de même avec les autres repères.

Besoin d'aide ?

3. Avec les ciseaux, découpe la face avant de la brique. Tu obtiendras ainsi le châssis de ta voiture de course.

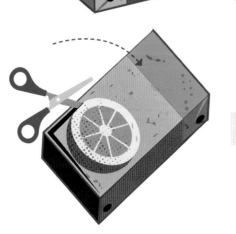

4. Pour réaliser les roues, pratique un trou du même diamètre que les pailles au centre de chacun des bouchons en plastique.

AÉRODYNAMIQUE ET RÉSISTANCE

L'aérodynamique est l'étude du mouvement de l'air qui entoure les objets. La résistance est la force qui ralentit les choses.

Les voitures de course et les avions ont un avant pointu, un dessous plat et un aileron arrière. Cette forme réduit la résistance en permettant à l'air de passer facilement au-dessus de l'engin, qui avance ainsi plus vite.

Sers-toi de l'aérodynamique pour augmenter la vitesse de ta voiture en concevant un avant triangulaire, comme une voiture de course, et un aileron arrière. Réfléchis à d'autres manières de diminuer la résistance de ton bolide.

5. Enfile les pailles dans les trous du châssis. Vérifie qu'elles tournent sans problème ; agrandis les trous si ce n'est pas le cas.

6. Enfile un bouchon autour de chaque paille. Agrafe les pailles pour éviter que les roues ne s'échappent, puis coupes-en les extrémités si elles sont trop longues.

8. Place le ballon dans la brique et glisse l'extrémité dans le trou. Gonfle le ballon et pinces-en l'ouverture. Pose la voiture sur une surface plane et retire tes doigts. C'est parti!

7. Fais un trou à une extrémité du châssis pour passer le ballon, puis agrandis-le. Il doit être suffisamment large pour que l'air du ballon puisse s'échapper, mais sans que celui-ci bouge de place.

Vroooouuummm!

Lombricomposteur

Fabriquer un lombricomposteur n'est pas plus difficile que de faire des trous dans une boîte! Un lombri-quoi? Un lombricomposteur: une boîte servant à élever des vers de terre qui transformeront les déchets en compost. N'importe quelle boîte en plastique munie d'un couvercle fera l'affaire, comme une boîte de rangement. Ne manque plus que les vers de terre!

Il te faut

- 1 boîte en plastique de 20 litres avec son couvercle
- perceuse et mèche de 2 mm
- ciseaux
- toile de paillage (ou mousseline)
- seau
- papier
- terre
- déchets de cuisine (épluchures de fruits et légumes ou pain rassis)
- briques
- une cinquantaine de vers de terre

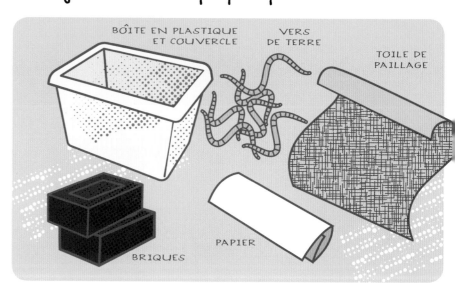

BOÎTE EN PLASTIQUE ET COUVERCLE

VERS DE TERRE

TOILE DE PAILLAGE

BRIQUES

PAPIER

1. Fais quelques petits trous de drainage dans le fond de la boîte en plastique.

Fais attention!

Fais-toi aider pour tenir la boîte...

2. Pratique d'autres trous tout autour de la boîte et dans le couvercle, pour la ventilation.

3. Pose la toile de paillage (ou la mousseline) à l'intérieur de la boîte et recoupe-la si besoin pour recouvrir le fond. Cette toile empêchera la terre de s'échapper par les trous!

4. Déchire le papier en morceaux et mets-les dans le seau. Mouille avec un peu d'eau.

5. Remplis la boîte de terre jusqu'au tiers, puis ajoute quelques vers de terre ainsi que des épluchures.

6. Ajoute une couche de papier mouillé sur la terre.

7. Continue d'ajouter des couches de terre, d'épluchures, de vers de terre et de papier, jusqu'à ce que la boîte soit presque pleine. Ne tasse pas la terre, car les vers de terre ont besoin d'air pour fabriquer du compost.

8. Pose la boîte pleine sur des briques pour faciliter l'écoulement de l'eau, puis pose le couvercle.

9. Ton lombricomposteur est terminé! De temps en temps, ajoute des épluchures, selon le nombre de vers de terre présents.

Les vers de terre sont vivants, aussi installe ton lombricomposteur à l'ombre...

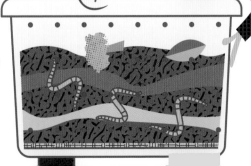

LES VERS DE TERRE, AMIS DES JARDINIERS

Les vers de terre apprécient toutes sortes d'aliments, et surtout les déchets de cuisine. Ne leur donne ni viande ni produits laitiers, car ils peuvent dégager des odeurs désagréables et attirer des "invités" indésirables.

Ne mets pas trop du même type d'aliment, évite os et coquilles et les choses très acides, comme les écorces d'agrumes.

Les vers de terre vont transformer tes déchets en compost grâce à leurs déjections. Riches en nutriments, celles-ci font un très bon engrais pour tous les types de plantes. C'est le meilleur fertilisant naturel qui soit.

De bons travailleurs

Il faut compter un ou deux mois pour que les vers fabriquent le compost qui te permettra de fertiliser ton jardin. Tu peux réaliser un deuxième lombricomposteur, de façon à avoir toujours du compost frais à ta disposition. Répands le compost de la première boîte dans le jardin et garde les vers pour la seconde.

45

Lance-fusée

Prépare ta combinaison spatiale : c'est l'heure du lancement ! Aurais-tu imaginé pouvoir envoyer des fusées à 30 mètres ? Parce qu'elles filent à toute vitesse, installe-toi dehors !

Il te faut

- tuyau en PVC de 25 mm × 2 m
- raccord en croix de 25 mm
- coude en PVC à 45° de 25 mm
- 2 bouchons
- bouteille de soda de 2 litres et bouchon
- règle et feutre
- scie
- perceuse et mèche de 12 mm
- colle pour PVC
- feuilles de papier A4
- ruban adhésif transparent
- ciseaux
- masque de protection

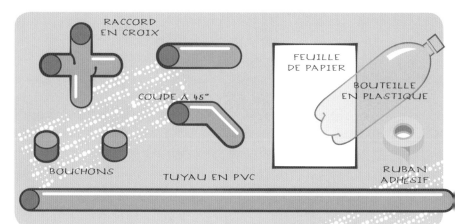

Fais attention !

1. Prends le tuyau de 2 m et mesure-le de façon à couper cinq morceaux : trois de 15 cm et deux de 40 cm. Mets le masque de protection pour éviter de respirer de la poussière. Tiens fermement le tuyau et découpe les morceaux, en gardant la scie aussi droit que possible.

2. Enfonce les tuyaux A et B dans deux des embouts du raccord en croix, face à face, comme sur le dessin. Ajoute les deux bouchons. Tu obtiens le stabilisateur du lanceur.

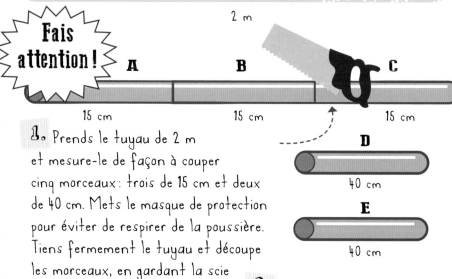

3. Insère le tuyau D dans l'un des deux autres embouts du stabilisateur et le tuyau C dans le deuxième. Fixe le coude sur le tuyau C en le dirigeant vers le haut.

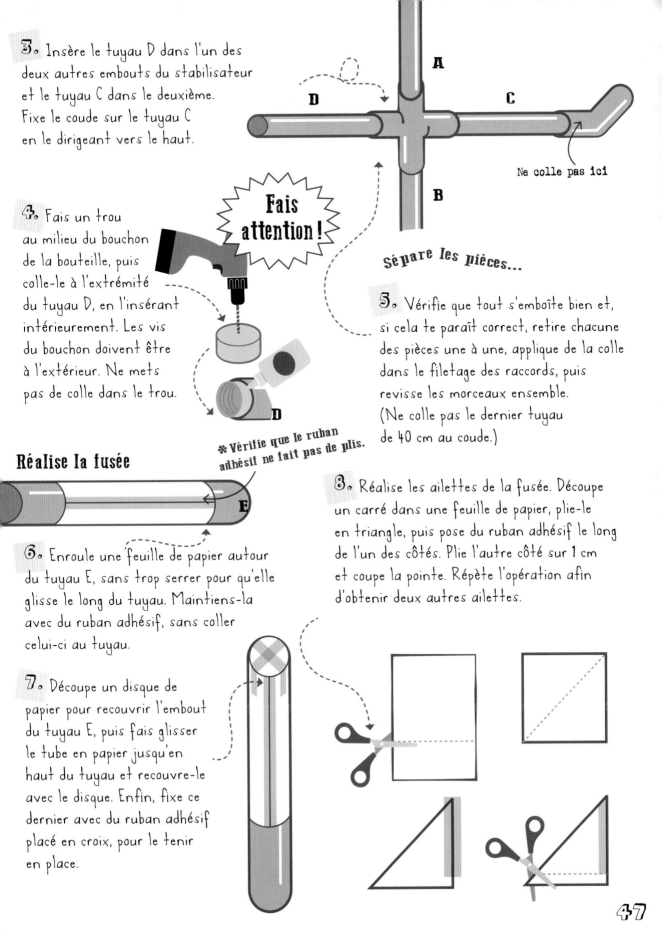

A

D

C

Ne colle pas ici

B

4. Fais un trou au milieu du bouchon de la bouteille, puis colle-le à l'extrémité du tuyau D, en l'insérant intérieurement. Les vis du bouchon doivent être à l'extérieur. Ne mets pas de colle dans le trou.

Fais attention !

D

Sépare les pièces...

5. Vérifie que tout s'emboîte bien et, si cela te paraît correct, retire chacune des pièces une à une, applique de la colle dans le filetage des raccords, puis revisse les morceaux ensemble. (Ne colle pas le dernier tuyau de 40 cm au coude.)

Réalise la fusée

E

✳ Vérifie que le ruban adhésif ne fait pas de plis.

6. Enroule une feuille de papier autour du tuyau E, sans trop serrer pour qu'elle glisse le long du tuyau. Maintiens-la avec du ruban adhésif, sans coller celui-ci au tuyau.

8. Réalise les ailettes de la fusée. Découpe un carré dans une feuille de papier, plie-le en triangle, puis pose du ruban adhésif le long de l'un des côtés. Plie l'autre côté sur 1 cm et coupe la pointe. Répète l'opération afin d'obtenir deux autres ailettes.

7. Découpe un disque de papier pour recouvrir l'embout du tuyau E, puis fais glisser le tube en papier jusqu'en haut du tuyau et recouvre-le avec le disque. Enfin, fixe ce dernier avec du ruban adhésif placé en croix, pour le tenir en place.

47

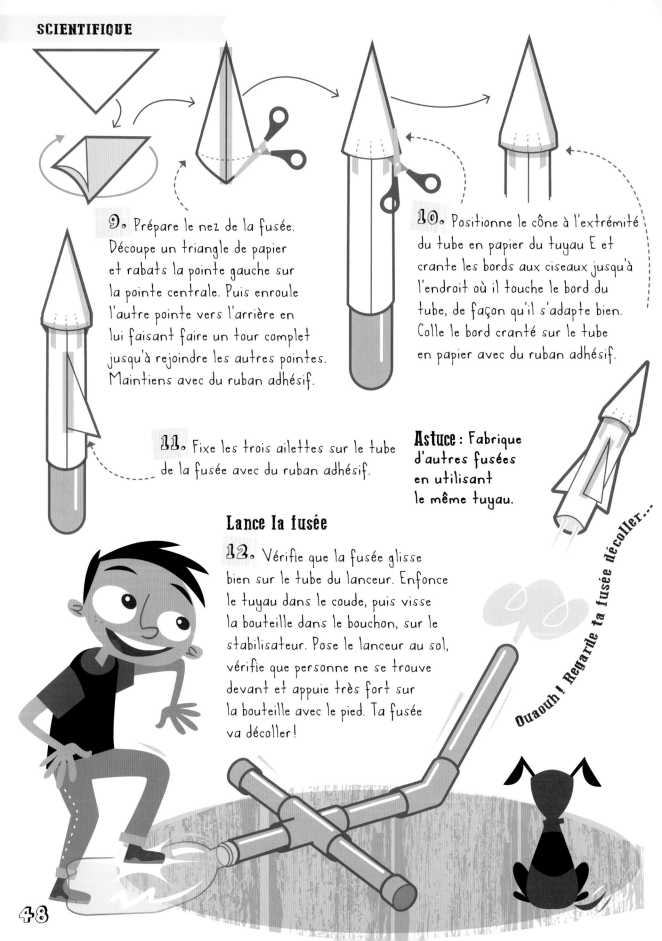

9. Prépare le nez de la fusée. Découpe un triangle de papier et rabats la pointe gauche sur la pointe centrale. Puis enroule l'autre pointe vers l'arrière en lui faisant faire un tour complet jusqu'à rejoindre les autres pointes. Maintiens avec du ruban adhésif.

10. Positionne le cône à l'extrémité du tube en papier du tuyau E et crante les bords aux ciseaux jusqu'à l'endroit où il touche le bord du tube, de façon qu'il s'adapte bien. Colle le bord cranté sur le tube en papier avec du ruban adhésif.

11. Fixe les trois ailettes sur le tube de la fusée avec du ruban adhésif.

Astuce : Fabrique d'autres fusées en utilisant le même tuyau.

Lance la fusée

12. Vérifie que la fusée glisse bien sur le tube du lanceur. Enfonce le tuyau dans le coude, puis visse la bouteille dans le bouchon, sur le stabilisateur. Pose le lanceur au sol, vérifie que personne ne se trouve devant et appuie très fort sur la bouteille avec le pied. Ta fusée va décoller !

Ouaouh ! Regarde ta fusée décoller...

Épuisette à crevettes

Les crevettes sont aussi bonnes à manger que faciles à attraper en bord de mer avec une simple épuisette. Maintenant, tu vas pouvoir pêcher toi-même de quoi satisfaire une petite faim !

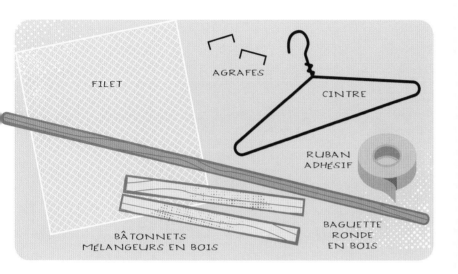

FILET

AGRAFES

CINTRE

RUBAN ADHÉSIF

BÂTONNETS MÉLANGEURS EN BOIS

BAGUETTE RONDE EN BOIS

Il te faut

- cintre en métal
- filet blanc à mailles fines de 80 cm de côté
- 2 bâtonnets mélangeurs en bois
- baguette ronde en bois de 2,5 cm de diamètre, de 1 m de longueur
- colle chaude ou colle à bois
- 2 grandes agrafes de 15 à 18 mm
- ficelle solide ou fil dentaire
- scie à métaux
- pince coupante
- grosse aiguille
- ruban adhésif
- règle et crayon
- perceuse
- marteau

1. Avec une pince coupante, découpe le haut du cintre.

2. Scie l'extrémité des bâtonnets pour adapter leur longueur à celle de la barre du cintre. Colle les bâtonnets ensemble. Quand ils sont secs, fais une petite encoche avec la scie de chaque côté.

Tu auras peut-être besoin d'aide pour courber le cintre...

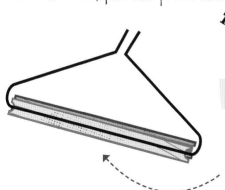

3. Place le cintre au centre des bâtonnets et plie-le dans les encoches. Retire-le et mets-le de côté.

49

COMMENT ATTRAPER DES CREVETTES

Consulte un calendrier des marées avant d'aller pêcher. Attention à la marée montante !

Le meilleur moment se situe en fin d'après-midi à marée basse : la mer s'étant retirée, tu as accès aux zones où les crevettes se rassemblent, qui sont généralement dans l'eau.

Les crevettes aiment fréquenter les petites baies qui donnent sur la mer, ainsi que les jetées et les quais.

Racle le sable avec ton épuisette et vois ce que tu en retires.

Les crevettes vont tenter de s'échapper du filet lorsque tu les attraperas : fais de grands mouvements de balayage pour les garder à l'intérieur.

4. Centre maintenant les bâtonnets mélangeurs sur la baguette ronde, colle-les en place et laisse sécher.

Fabrique le filet

5. Pose le filet à plat, plie-le en triangle, puis encore une fois en triangle. Avec du ruban adhésif, colle les bords libres ensemble à intervalles réguliers. Tu obtiens ainsi la forme de base de ton filet à épuisette.

6. Coupe 1 m de ficelle et enfile une extrémité dans le chas de l'aiguille. Noue ensemble les deux extrémités de la ficelle. Pique l'aiguille à l'un des bords du côté scotché, puis fais une boucle et repasse dedans pour que la couture tienne bien.

7. Fais deux tours de fil autour du bord, puis couds tout le long, en espaçant les points de 1 cm environ. Poursuis la couture sur le côté adjacent, puis fais un nœud pour terminer.

8. Enfile le cintre dans les mailles du filet à environ 2 cm du bord, puis couds les bords. Pour finir, retire délicatement le ruban adhésif.

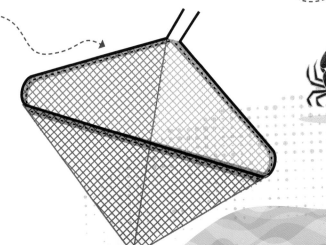

L'assemblage

9. Tiens la baguette ronde debout, les bâtonnets en haut. Reporte la dimension des agrafes sur les bâtonnets à l'intersection avec la baguette, en traçant deux paires de repères séparés par cette distance.

10. Fais quatre petits trous, appelés trous de guidage, au niveau des repères. Leur diamètre doit être inférieur à celui des agrafes. Ils éviteront que le bois ne se fende lorsque tu enfonceras les agrafes au marteau.

Fais attention !

Tu auras besoin d'aide pour tenir la baguette ronde...

11. Replace le cintre avec son filet sur les bâtonnets, autour des encoches. Cloue soigneusement les agrafes par-dessus le cintre, en les enfonçant dans les bâtonnets jusque dans la baguette ronde.

Astuce : Tiens l'agrafe avec une pince pour qu'elle reste droite au moment de donner le premier coup de marteau.

12. À l'aide de la pince, plie les extrémités du cintre vers la baguette, à 90°. Trace des repères aux endroits où les extrémités du cintre touchent la baguette.

90°

13. Fais deux petits trous au niveau des repères en perçant jusqu'à la moitié de l'épaisseur de la baguette. Colle les extrémités recourbées du cintre dans les trous. Si besoin, tire le filet jusqu'en haut du triangle et attache-le avec le fil et l'aiguille. Tu peux partir à la pêche !

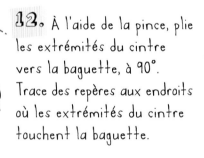

Moteur rotatif simple

Il te faut

- pile AA ou AAA
- aimant en néodyme (à peu près du diamètre de la pile)
- 30 cm de fil en cuivre (gainé ou non)
- ciseaux
- pince
- crayon

Une pile, un aimant et du fil de cuivre : c'est tout ce dont tu auras besoin pour fabriquer un moteur rotatif très simple.

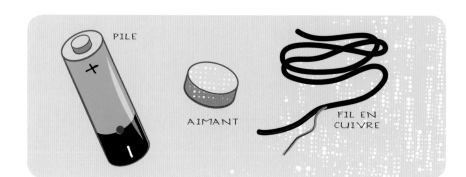

PILE

AIMANT

FIL EN CUIVRE

1. Si le fil en cuivre possède une gaine en vinyle, dénude-le en pressant légèrement avec des ciseaux au milieu du fil. Tourne lentement le fil jusqu'à ce que tu sentes que les ciseaux atteignent le métal, mais ne le coupe pas. Retire doucement la gaine. Fais de même avec le reste du fil.

✳ Tu auras peut-être besoin d'aide pour dénuder le fil en cuivre.

2. Avec tes doigts et une pince (en faisant attention à ne pas te blesser), plie le fil en deux et pince-le pour qu'il forme une pointe.

3. Incurve les deux épaisseurs de fil en forme de demi-cœur, puis ouvre-le de façon à obtenir un cœur complet.

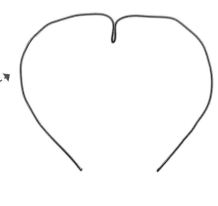

4. Pose la pile sur la face plane (le pôle négatif) de l'aimant. Elle doit tenir debout, le pôle positif placé en haut.

5. Place le fil de cuivre incurvé sur le dessus de la pile, pour que la pointe du cœur soit en contact avec le haut de la pile. Incurve les extrémités du fil vers la base.

COMMENT ÇA MARCHE, UN MOTEUR ?

Piles et aimants ont un pôle positif (+) et un pôle négatif (−). En plaçant un aimant sur une pile, un champ magnétique extérieur fait tourner le conducteur (le fil en cuivre) lorsque le circuit est fermé. Si le fil est parallèle au champ magnétique, il partage le même axe de rotation, ce qui le fait pivoter.

✻ Avec la pince, essaie d'obtenir un bel arrondi.

6. L'étape suivante est un peu délicate! Avec une pince, plie l'une des extrémités du fil à 90°, là où il est au contact de l'aimant. Fais de même avec l'autre extrémité, de façon à obtenir comme deux pieds.

Fais attention!

7. Incurve l'un des pieds en forme de demi-cercle, afin qu'il s'adapte autour de la pile. Fais de même avec l'autre pied pour obtenir un cercle. Coupe le fil s'il est trop long.

Essaie d'autres formes...

8. Pose la pile debout sur l'aimant, puis le cœur en cuivre sur le dessus et regarde comme il tourne! (Ne le laisse pas tourner trop longtemps, car il peut chauffer! Fais-le tomber en le poussant avec un crayon.)

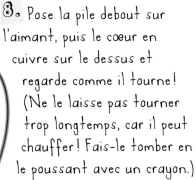

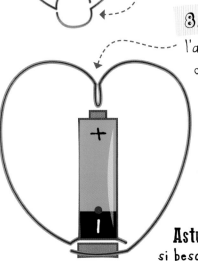

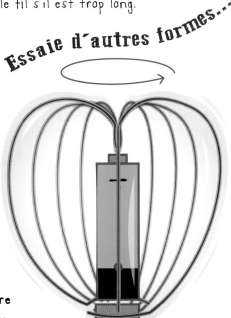

Astuce : Ajuste la forme du fil si besoin pour qu'il reste en équilibre et qu'il tourne sans tomber de la pile.

Four solaire

Un four solaire ne nécessite ni électricité ni feu, seulement la lumière du Soleil. Voici comment fabriquer à peu de frais un four qui te permettra de réchauffer un plat. Par la suite, tu pourras en réaliser un plus grand en bois, exactement de la même manière, qui fournira davantage de chaleur réfléchie et une plus grande zone de chauffe.

Il te faut

- 2 cartons (un grand et un petit, qui doit avoir un couvercle)
- papier d'aluminium
- colle
- petit pinceau
- papier à dessin noir
- papier journal
- plastique transparent
- ruban adhésif

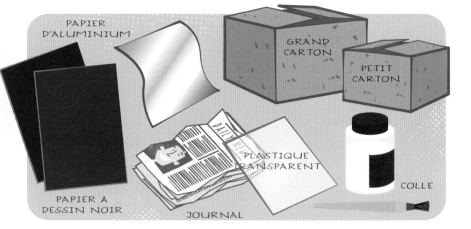

Astuce : N'importe quels cartons conviennent, tant qu'ils tiennent l'un dans l'autre.

1. Ouvre d'abord le grand carton et colle les rabats de papier d'aluminium, en veillant à ce que le côté brillant se trouve au-dessus. (La surface réfléchissante de l'aluminium va diriger les rayons du Soleil sur les aliments et les réchauffer.)

2. Plie les rabats du petit carton vers l'intérieur et tapisse-le de papier noir. (Le papier noir absorbe la lumière, créant de la chaleur.) C'est dans ce carton que tu placeras les aliments.

3. Chiffonne du papier journal et disposes-en une couche au fond du grand carton, puis place le petit carton tapissé de papier noir à l'intérieur. Glisse du papier journal chiffonné dans l'interstice entre les deux cartons.

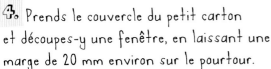

Astuce : Tout type de couvercle convient, pourvu qu'il recouvre le carton intérieur et qu'il soit doté d'une fenêtre.

4. Prends le couvercle du petit carton et découpes-y une fenêtre, en laissant une marge de 20 mm environ sur le pourtour.

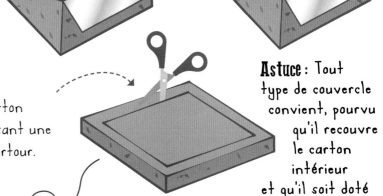

5. Recouvre la fenêtre de plastique transparent. Tu peux utiliser une feuille de plastique rigide ou du film alimentaire. Fixe le plastique sur le dessous du couvercle avec du ruban adhésif, puis pose le couvercle sur le petit carton.

6. Ton four solaire est quasiment prêt ! Positionne-le de façon que les rabats réfléchissent le Soleil. Dispose tes aliments dans un récipient résistant à la chaleur (un plat en terre ou un bol en céramique, par exemple) et patiente. Selon l'intensité des rayons, ton four va commencer à chauffer. Un four solaire peut atteindre 120 à 150 °C !

✱ **Assure-toi que la nourriture est bien cuite avant de la consommer !**

Kart à pousser

Il te faut

- planches de contreplaqué 12,5 mm
- tasseaux 10 × 5 cm
- perceuse et mèches
- poinçon
- vis
- 2 boulons poêliers
- 2 tiges filetées 10 mm + écrous et rondelles
- 4 rondelles d'espacement
- 4 roues solides
- tendeur
- corde en fibres naturelles

Tu as toujours voulu piloter un kart? Voici comment en fabriquer un! Doté d'un frein à main, celui-ci s'utilise sur terrain plat. Ce projet assez compliqué demande beaucoup d'organisation. Le secret consiste à tout préparer avant de procéder à l'assemblage.

À noter !

Ces étapes ne sont qu'indicatives. Tes fournitures varieront peut-être par rapport à celles indiquées dans la liste, aussi n'hésite pas à adapter les instructions selon tes besoins et tes envies.

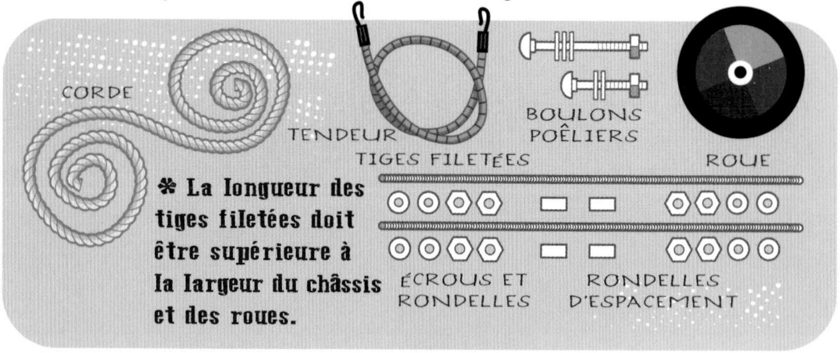
CORDE
TENDEUR
BOULONS POÊLIERS
ROUE
TIGES FILETÉES
✽ La longueur des tiges filetées doit être supérieure à la largeur du châssis et des roues.
ÉCROUS ET RONDELLES
RONDELLES D'ESPACEMENT

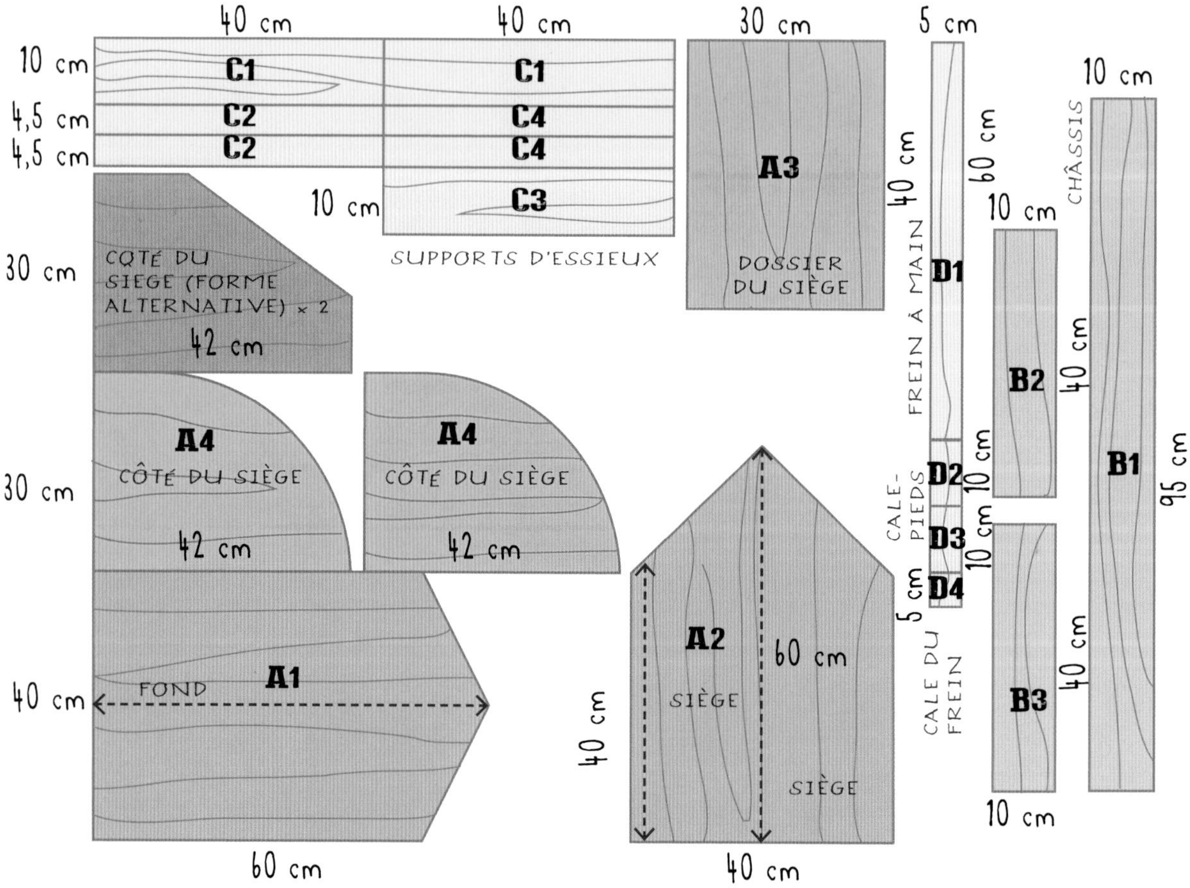
40 cm
40 cm
10 cm
C1
C1
4,5 cm
C2
C4
4,5 cm
C2
C4
10 cm
C3
SUPPORTS D'ESSIEUX
30 cm
COTÉ DU SIÈGE (FORME ALTERNATIVE) × 2
42 cm
30 cm
A3
40 cm
DOSSIER DU SIÈGE
5 cm
60 cm
FREIN À MAIN
D1
D2
10 cm
D3
10 cm
D4
5 cm
CALE-PIEDS
CALE DU FREIN
10 cm
CHÂSSIS
10 cm
B2
40 cm
B1
95 cm
B3
40 cm
10 cm
30 cm
A4
CÔTÉ DU SIÈGE
42 cm
A4
CÔTÉ DU SIÈGE
42 cm
40 cm
FOND
A1
60 cm
A2
SIÈGE
60 cm
40 cm
SIÈGE
40 cm

Réalise le siège et le châssis

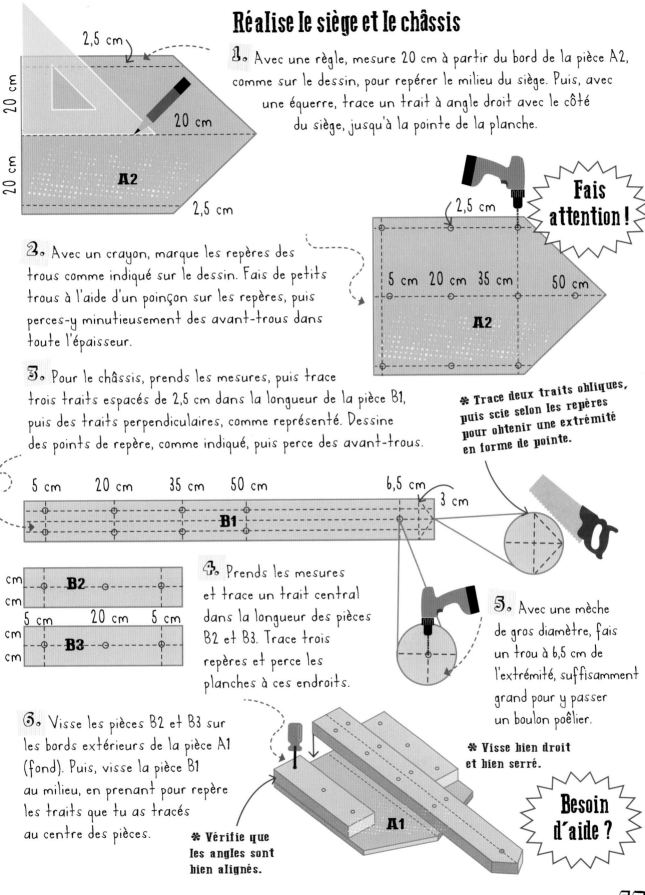

1. Avec une règle, mesure 20 cm à partir du bord de la pièce A2, comme sur le dessin, pour repérer le milieu du siège. Puis, avec une équerre, trace un trait à angle droit avec le côté du siège, jusqu'à la pointe de la planche.

2,5 cm

20 cm

20 cm

20 cm

A2

2,5 cm

Fais attention !

2,5 cm

5 cm   20 cm   35 cm   50 cm

A2

2. Avec un crayon, marque les repères des trous comme indiqué sur le dessin. Fais de petits trous à l'aide d'un poinçon sur les repères, puis perces-y minutieusement des avant-trous dans toute l'épaisseur.

3. Pour le châssis, prends les mesures, puis trace trois traits espacés de 2,5 cm dans la longueur de la pièce B1, puis des traits perpendiculaires, comme représenté. Dessine des points de repère, comme indiqué, puis perce des avant-trous.

✱ Trace deux traits obliques, puis scie selon les repères pour obtenir une extrémité en forme de pointe.

5 cm   20 cm   35 cm   50 cm   6,5 cm

B1   3 cm

cm   **B2**

cm

5 cm   20 cm   5 cm

cm   **B3**

cm

4. Prends les mesures et trace un trait central dans la longueur des pièces B2 et B3. Trace trois repères et perce les planches à ces endroits.

5. Avec une mèche de gros diamètre, fais un trou à 6,5 cm de l'extrémité, suffisamment grand pour y passer un boulon poêlier.

6. Visse les pièces B2 et B3 sur les bords extérieurs de la pièce A1 (fond). Puis, visse la pièce B1 au milieu, en prenant pour repère les traits que tu as tracés au centre des pièces.

✱ Visse bien droit et bien serré.

✱ Vérifie que les angles sont bien alignés.

A1

Besoin d'aide ?

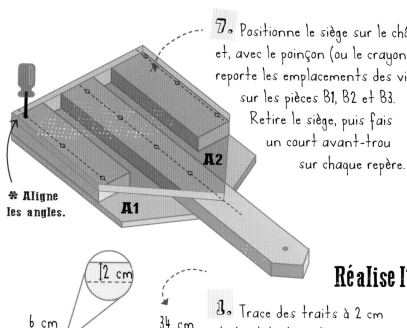

7. Positionne le siège sur le châssis et, avec le poinçon (ou le crayon), reporte les emplacements des vis sur les pièces B1, B2 et B3. Retire le siège, puis fais un court avant-trou sur chaque repère.

✿ Aligne les angles.

Visse le siège en place, en veillant à ce que les têtes de vis soient bien logées dans le bois.

Astuce : Tu peux fraiser légèrement l'entrée des trous pour y loger les têtes de vis.

Réalise l'essieu arrière

1. Trace des traits à 2 cm du bord de deux des pièces C4, puis marque les repères des trous de vis comme représenté.

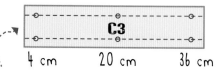

2. Trace des traits à 2 cm du bord de la pièce C3 et place les repères des trous de vis comme représenté.

3. Perce des avant-trous sur les repères des trois pièces.

Assemble l'essieu...

4. Retourne le siège et visse la pièce C4 dotée de cinq trous dans les trous situés à 6 cm et à 34 cm.

Positionne la deuxième pièce C4 à côté de la première, en glissant l'une des tiges filetées entre les deux.

✿ Important : veille à ce que les trous soient parfaitement alignés entre les pièces C4 et C3.

Besoin d'aide ?

Astuce : Utilise des serre-joints pour immobiliser les pièces.

5. Pose la pièce C3 sur les deux pièces C4 et place six vis longues dans les trous. Vérifie que les planchettes sont bien alignées et que la tige filetée tourne facilement.

6. Visse minutieusement les vis jusqu'à atteindre la planche du fond (A2), en serrant bien.

Réalise le dossier

1. Trace un trait à 1,3 cm des bords droits d'une des pièces A4, puis marque les repères des trous de vis comme représenté, à égale distance entre le trait et le bord de la planche.
Tu peux aussi utiliser une autre forme de dossier.

A4

29 cm
20 cm
10 cm
1 cm   14 cm   28 cm   41 cm

1,3 cm

1,3 cm

2. Fais de même, en miroir, avec la deuxième pièce A4.

3. Trace un trait à 1,3 cm d'un des bords de 40 cm de la pièce A3, puis marque les repères des trous de vis entre le bord et le trait, comme indiqué.

A3

5 cm   15 cm 25 cm 35 cm

Fais attention !

4. Perce des avant-trous dans les trois pièces.

Besoin d'aide ?

Ne visse pas le dossier dans l'essieu arrière.

A3

Astuce : Facilite-toi la tâche en inclinant le fond sur le côté.

5. Retourne le châssis pour que l'essieu arrière soit en dessous. Visse la pièce C3 dans la pièce du fond (A1). On ne doit voir que l'essieu arrière qui dépasse. Vérifie que les vis sont bien serrées.

6. Pour cette étape, tu auras besoin d'un adulte. Tu dois positionner l'une des pièces A4 pour qu'elle puisse être vissée dans le côté de la pièce A3 ainsi que dans la planche du fond (A1). Maintiens la pièce en vérifiant que les pièces sont bien perpendiculaires et que les bords sont alignés, pendant qu'un adulte visse la pièce en suivant les repères.

A4   **A3**

A4

A2

7. Visse la deuxième pièce A4 dans le dossier du siège, puis dans la pièce du fond (A1).

Réalise l'essieu avant

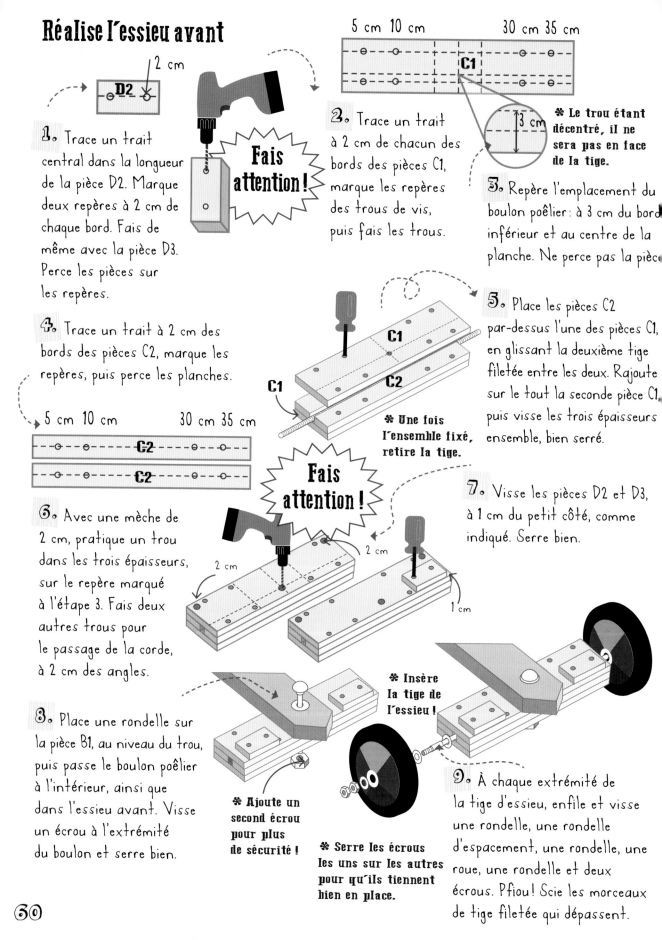

2 cm D2

1. Trace un trait central dans la longueur de la pièce D2. Marque deux repères à 2 cm de chaque bord. Fais de même avec la pièce D3. Perce les pièces sur les repères.

Fais attention !

5 cm 10 cm   30 cm 35 cm

C1

3 cm

2. Trace un trait à 2 cm de chacun des bords des pièces C1, marque les repères des trous de vis, puis fais les trous.

✻ Le trou étant décentré, il ne sera pas en face de la tige.

3. Repère l'emplacement du boulon poêlier : à 3 cm du bord inférieur et au centre de la planche. Ne perce pas la pièce.

4. Trace un trait à 2 cm des bords des pièces C2, marque les repères, puis perce les planches.

5 cm 10 cm   30 cm 35 cm

C2

C2

5. Place les pièces C2 par-dessus l'une des pièces C1, en glissant la deuxième tige filetée entre les deux. Rajoute sur le tout la seconde pièce C1, puis visse les trois épaisseurs ensemble, bien serré.

C1

C2

C1

✻ Une fois l'ensemble fixé, retire la tige.

Fais attention !

6. Avec une mèche de 2 cm, pratique un trou dans les trois épaisseurs, sur le repère marqué à l'étape 3. Fais deux autres trous pour le passage de la corde, à 2 cm des angles.

2 cm   2 cm

7. Visse les pièces D2 et D3, à 1 cm du petit côté, comme indiqué. Serre bien.

1 cm

8. Place une rondelle sur la pièce B1, au niveau du trou, puis passe le boulon poêlier à l'intérieur, ainsi que dans l'essieu avant. Visse un écrou à l'extrémité du boulon et serre bien.

✻ Ajoute un second écrou pour plus de sécurité !

✻ Insère la tige de l'essieu !

✻ Serre les écrous les uns sur les autres pour qu'ils tiennent bien en place.

9. À chaque extrémité de la tige d'essieu, enfile et visse une rondelle, une rondelle d'espacement, une rondelle, une roue, une rondelle et deux écrous. Pfiou ! Scie les morceaux de tige filetée qui dépassent.

Installe le frein

Fais attention !

D1

20 cm

30 cm

15 cm

15 cm

1. Trace un trait central dans la longueur de la pièce D1, puis marque un repère à 20 cm du bord. Fais un trou. Retourne la pièce sur le côté et pratique deux autres trous au centre, à 2 cm l'un de l'autre.

2. Bascule le kart sur le côté et marque un repère sur le siège, à 15 cm du haut. Insère un stylo dans le trou du levier au niveau du repère, pour t'assurer que le pivot se trouve à 15 cm en avant par rapport à l'essieu.

A4

✻ Si besoin, ajuste l'emplacement du trou en fonction de la taille des roues.

3. Si la position du pivot te convient, fais un trou de 1,5 cm au niveau du repère. Insère un boulon pour fixer la pièce D1 (trous sur le dessus) au côté du siège, puis visse l'écrou à l'avant du frein.

Besoin d'aide ?

D4

4. Marque des repères dans la pièce D4, comme indiqué, puis perce-la à ces endroits. Visse-la juste au-dessus du frein pour le maintenir en place.

5. Insère les extrémités du tendeur dans les deux trous du frein puis, à l'aide d'un stylo, étire-le jusqu'à atteindre le dessous du kart. Marque un repère au crayon.

6. Fais deux trous de part et d'autre du repère et visse deux vis. Étire le tendeur et passe-le autour des vis. Vérifie que les crochets sont bien placés dans les trous.

7. Enfile les embouts de la corde dans les trous de l'essieu avant et noue-les fermement en dessous, en ajustant la longueur comme tu le souhaites.

C'est parti !

Attention !
Ce véhicule peut être dangereux. Ne l'utilise pas dans les descentes !

✻ Pousse avec tes pieds pour avancer et dirige le kart à l'aide de la corde.

Les fournitures et où les trouver

Fournitures que tu pourras trouver en papeterie ou dans une boutique de loisirs créatifs

Tu as peut-être déjà les fournitures suivantes, qui sont toujours utiles pour bricoler.

- fiches cartonnées
- colle blanche
- feuilles de papier A4
- feutres
- peinture
- ruban adhésif
- trombones

Fournitures que tu pourras trouver au supermarché

Il est probable que tu aies déjà un grand nombre de ces éléments chez toi. Si ce n'est pas le cas, tu les trouveras en grandes surfaces ou sur Internet.

- alcool à 90°
- allumettes
- ballons
- bougies
- cure-dents
- film alimentaire
- frite de piscine en mousse (elle sera peut-être difficile à trouver en magasin ; si c'est le cas achète-la sur Internet)
- gomme de guar (elle sera peut-être difficile à trouver en magasin ; si c'est le cas achète-la sur Internet)
- pailles
- papier d'aluminium
- piles AA et AAA
- sacs-poubelle solides

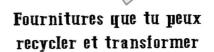

Fournitures que tu pourras trouver dans un magasin de bricolage et de jardinage

Les vendeurs spécialisés en bricolage devraient pouvoir t'aider à trouver les matériaux et les fournitures dont tu auras besoin.

- aimant en néodyme
- baguette ronde en bois
- bâtonnets mélangeurs en bois
- chatterton (ruban adhésif)
- colle à bois
- corde
- coude en PVC
- écrous et rondelles en métal
- ficelle
- fil de cuivre
- filet à mailles fines
- graines
- grosses agrafes
- masque de protection
- papier abrasif
- peinture
- petits pots de rempotage
- pitons à œil
- planches de contreplaqué
- raccord en croix en PVC
- tasseaux
- toile de paillage (ou mousseline)
- tuyau en PVC

Fournitures que tu peux recycler et transformer

On peut faire énormément de choses avec des objets de récupération ou des emballages recyclables. Voici des fournitures dont tu auras besoin pour réaliser les projets de ce livre.

- boîte à œufs
- boîte en plastique avec couvercle
- bouteille de soda
- brique de jus de fruits
- cartons
- cintre en métal
- livre relié
- manche à balai
- moteur vibrant d'un vieux téléphone portable
- peluches de vêtements (Tu en trouveras dans le filtre du sèche-linge. Pour réaliser tes allume-feu, tu peux aussi utiliser le papier matelassé qui se trouve dans certaines enveloppes écologiques.)
- pile bouton et support
- sacs en plastique
- vieille brosse à dents
- vieux journaux

Index